Marcel Paquet

RENÉ MAGRITTE

1898 – 1967

La pensée visible

TASCHEN

HONGKONG KÖLN LONDON LOS ANGELES MADRID PARIS TOKYO

Pour être informé des prochaines parutions TASCHEN, demandez notre magazine sur
www.taschen.com/magazine ou écrivez à TASCHEN, 82 rue Mazarine, F-75006 Paris, France,
contact-f@taschen.com, Fax: +33-1-432 67380. Nous nous ferons un plaisir de vous envoyer
à domicile notre magazine gratuit rempli d'informations sur tous nos ouvrages.

© 2006 TASCHEN GmbH
Hohenzollernring 53, D–50672 Köln
www.taschen.com
Edition originale : © 1993 Benedikt Taschen Verlag GmbH
© 2005 VG Bild-Kunst, Bonn
Conception : Gilles Néret, Paris
Présentation : Peter Feierabend, Berlin
Rédaction : Sally Bald, Cologne
Lectrice : Michèle Schreyer, Cologne
Couverture : Catinka Keul, Angelika Taschen, Cologne
Reproductions : ORD, Gronau ; ReproColor, Bocholt
Composition : Utesch Satztechnik, Hambourg

Printed in Germany
ISBN–13: 978–3–8228–6164–6
ISBN–10: 3–8228–6164–2

Sommaire

Enfance au pays noir

René Magritte est né le 21 novembre 1898 dans un pays étrange et méconnu, la Belgique. Ce petit Etat très artificiel, zone tampon entre les puissances française et germanique, n'a jamais cessé d'être déchiré par le conflit des deux presque-peuples qui le composent: les Flamands, au nord, néerlandophones et plutôt catholiques; les Wallons, au sud, quelque peu frondeurs et en majorité incroyants. Le choc de ces minorités aux esprits fort incompatibles donna toujours lieu à des constructions de compromis et à des imbroglios juridico-administratifs qui, alimentant les querelles au lieu de les réduire, sont de nature à faire croire à tout observateur étranger qu'il s'agit d'un Etat proprement «surréaliste». Cela ne manque pas de peser sur la singularité de la «culture belge» qui mélange allègrement l'autodénigrement systématique et les arrogances régionalistes.

A cet égard, il faut savoir de Magritte qu'il était né dans la partie sud du Pays, que son enfance et son adolescence se passèrent à Charleroi, ville industrielle où l'existence fut toujours d'une grande dureté et que, sa vie durant, cet homme d'apparence tranquille, au tempérament anxieux, eut des opinions politiques inclinant vers la gauche: après la grande guerre de 14–18, il fut de ceux qui propagèrent en Belgique l'esprit Dada (ainsi dirigea-t-il avec le poète et collagiste E.L.T Mesens *Œsophage,* puis *Marie,* deux revues qui comptèrent comme collaborateurs Arp, Picabia, Schwitters, Tzara et Man Ray) et après la Seconde Guerre mondiale, il adhéra pour la troisième fois de sa vie au Parti Communiste et rédigea pour l'organe de presse de ce parti, *Le Drapeau rouge,* quelques articles, parmi lesquels un bel éloge de James Ensor dont voici un court extrait:

«Enfin, l'intérêt des visiteurs de la rétrospective Ensor est à remarquer: ils déambulent avec une gravité sévère devant les légumes, les vases de fleurs, les christs avinés et les autres sujets qu'Ensor s'est diverti à peindre, sans se douter que le sérieux qu'ils affichent est légèrement déplacé. S'il était possible d'oublier tout le bavardage et la légende qui défigurent James Ensor, une grande exposition de ses œuvres, comme celle qui a lieu actuellement, nettoierait peut-être un peu l'atmosphère artistique encore obscurcie par l'occupation nazie. Mais il semble que nous devons encore vivre sous le régime de l'occultation.»

Toutefois, ainsi que l'on peut aisément le comprendre, l'engagement politique de Magritte fut essentiellement d'opinion: ses projets d'affiches furent toujours refusés par les dirigeants communistes, et lui-même, à l'instar de tant d'autres, ne put jamais souffrir que son art fût directement soumis aux mots

René Magritte à côté de son tableau
L'Empire des lumières, 1954

L'Empire des lumières, 1954
La puissance surnaturelle de la peinture permet de montrer au même moment et dans un même lieu le jour et la nuit qui, dans la réalité ordinaire, se succèdent.

La Clé de verre, 1959
Ce titre de Dashiel Hammet désigne une
impossibilité: pourquoi pas celle d'une pierre
mystérieuse flottant parmi les montagnes?
Image qui eût pu inspirer le «2001» de Stanley
Kubrick et qui très certainement inspira de
très belles rimes de Fabrizzio Clerici.

d'ordre d'une idéologie, si généreuse fût-elle. «L'art n'a pas plus à être wallon
que végétarien», répondait-il dans un registre similaire, à ceux qui souhai-
taient l'embrigader dans des expositions ou des manifestations de caractère
régionaliste. Au fond, son seul vrai drapeau fut toujours celui du mystère des
choses et du monde, lequel mystère appartient à tout le monde et à personne.

De sa petite enfance qui s'est déroulée dans le Hainaut – à Lessines, sa
maison natale est aujourd'hui devenue un petit musée abritant quelques
archives –, il semble ne lui être resté que peu de souvenirs, mais d'une très
grande vivacité. Le plus ancien est celui d'une caisse posée auprès de son
berceau et qui lui semblait un objet entièrement mystérieux, inducteur d'un
sentiment d'étrangeté analogue à celui qu'il lui est souvent arrivé d'éprouver
et de faire éprouver au cours de sa vie adulte.

Le second est lié à un ballon de navigation venu s'échouer sur le toit d'une
maison voisine: les manœuvres des aérostiers affairés à récupérer la grande
enveloppe dégonflée ainsi que l'accoutrement de ces hommes, vêtus de cuir et
porteurs de casquettes à oreillettes, eurent le don d'émouvoir l'enfant, de
produire en lui une violente sensation d'incompréhensible.

La Trahison des images, 1928/29
Est-ce l'image qui est trahie par les mots? Est-ce l'image qui est trahie par le réel: «On ne fume pas dans une pipe peinte»?
Est-ce que les images de la peinture ne sont pas toujours et partout une trahison du langage et du réel?

Ceci n'est pas une pomme, 1964
A l'évidence, on ne peut manger cette pomme. C'est cela le vrai bon sens, «s'entend», disait Breton, «celui des grands poètes».

La Baigneuse, 1925
Cette œuvre, de facture cubiste, est déjà
entièrement surréelle: la mer n'est rien
qu'une fenêtre peinte à même la surface de la
toile.

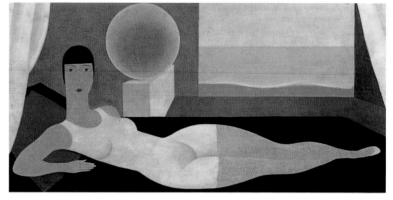

René, Raymond et Paul Magritte, 1907

Marche des Snobs, 1924
Couverture d'une partition

Le Cinéma bleu, 1925
L'un des deux frères de Magritte, Paul, était
compositeur de musique. Ils aimaient le
cinéma et en particulier les exploits du criminel sans identité: *Fantômas* . . .

Le Faux-miroir, 1935
L'œil du peintre est un *Faux-miroir:* il modifie ce qu'il capte en *restituant* aux apparences le mystère du monde.

Le troisième et dernier souvenir enfantin que nous évoquerons fut raconté par lui-même dans une conférence prononcée en 1938:

«Dans mon enfance, j'aimais jouer avec une petite fille, dans le vieux cimetière désaffecté d'une petite ville de province. Nous visitions les caveaux souterrains dont nous pouvions soulever les lourdes portes de fer et nous remontions à la lumière, où un artiste peintre, venu de la capitale, peignait dans une allée du cimetière, très pittoresque avec ses colonnes de pierres brisées jonchant les feuilles mortes. L'art de peindre me paraissait alors vaguement magique et le peintre doué de pouvoirs supérieurs. Hélas, j'ai appris par la suite que la peinture avait très peu de rapports avec la vie immédiate et que chaque tentative de libération a toujours été bafouée par le public: l'‹Angélus› de Millet fit scandale à l'époque où il parut; on accusait le peintre d'insulter les paysans en les représentant comme il le fit. On voulut détruire l'‹Olympia› de Manet, et les critiques reprochaient à ce peintre de montrer des femmes coupées en morceaux parce qu'il ne montrait d'une femme placée derrière un comptoir que le haut du corps, le bas étant caché par le comptoir. Il était entendu pendant que Courbet vivait, qu'il avait le très mauvais goût de faire étalage tapageur de son faux talent. J'ai vu aussi que les exemples de cet ordre étaient infinis et s'étendaient dans tous les domaines de la pensée. Quant aux artistes eux-mêmes, la plupart renonçaient facilement à leur liberté et mettaient leur art au service de n'importe qui ou de n'importe quoi. Leurs préoccupations et leurs ambitions sont généralement les mêmes que celles du premier arriviste venu. C'est ainsi que je gagnai une méfiance complète pour l'art et les artistes, s'ils étaient consacrés officiellement ou s'ils aspiraient à l'être, et je sentis n'avoir rien de commun avec cette corporation. J'avais un point de repère qui me fixait autre part, c'était cette magie de l'art que j'avais connue dans mon enfance.

En 1915, j'essayai de retrouver la position qui me permettrait de voir le monde autrement que l'on voulait me l'imposer. Je possédais quelque technique de l'art de peindre et, dans l'isolement, je fis des essais délibérément

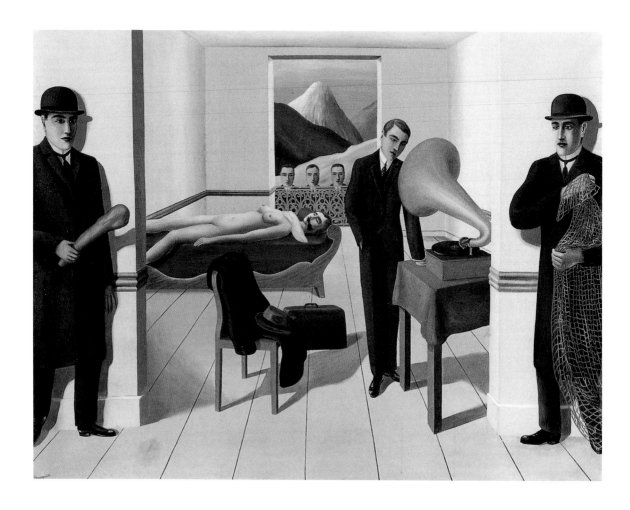

L'Assassin menacé, 1926
Il tourne le dos à ceux qui l'épient, il ne voit pas ceux qui vont l'assommer et le capturer. Il regarde du sonore; il fonctionne autrement, indifférent aux visibles menaces de la réalité.

REPRODUCTION PAGE 12:
Le Retour de flamme, 1943
En-dessous de la réalité du monde, il y a le mystère: il resurgit ici, dominant toutes choses, sous la figure de *Fantômas.*

REPRODUCTION PAGE 13:
La Grande Guerre, 1964
Tout objet en cache un autre, toute révélation est partielle. Ce conflit intérieur au visible est bien la Grande Guerre dont Héraclite disait qu'elle est «le père de toutes choses».

différents de tout ce que je connaissais en peinture. J'éprouvais les plaisirs de la liberté en peignant les images les moins conformistes. Alors, un hasard singulier fit que l'on me remit avec un sourire apitoyé, avec la pensée imbécile de me faire sans doute une bonne blague, le catalogue illustré d'une exposition de peintures futuristes. J'avais devant les yeux un puissant défi lancé au bon sens qui m'ennuyait tellement. Ce fut pour moi cette même lumière que je retrouvais en remontant des caveaux souterrains du vieux cimetière où, enfant, je passais mes vacances.»

L'image de la petite fille et du petit garçon sortant d'un caveau, lieu de conservation des cadavres et du souvenir de la mort, pour découvrir un peintre s'attachant à fixer sur toile sa vision du cimetière ne peut manquer d'apparaître, rétrospectivement, comme prémonitoire de la démarche ultérieure. Ce n'est pas que nous considérions l'enfance et ses sortilèges comme la clé des mystères de toute création car il se fait, nous aurons à y revenir, que les images du plus lointain passé, pour être en mesure de jouer un rôle dans l'élaboration d'une œuvre d'art, doivent être retravaillées et réinventées à la faveur et à la suite de décisions, de rencontres et de hasards, sinon adultes, à tout le moins plus tardifs. Néanmoins, répétons-le, ce souvenir que Magritte

lui-même prit la peine de fixer par écrit n'est pas sans contenir quelques éléments qui nous semblent former comme une mini-pédagogie capable d'introduire dans la vision de l'œuvre. Ce récit mentionne en effet un contraste violent entre la vision de deux enfants (les êtres en principe les plus éloignés du terme de leur vie) et le lieu où ils jouent, à savoir un cimetière, l'endroit par excellence où se conserve et s'honore la mémoire de ceux qui ne sont plus. Or, on remarquera qu'il y a presque toujours dans les toiles de Magritte des éléments qui, en s'opposant, provoquent un choc tout à fait apte à mettre l'esprit en éveil et à le conduire sur le chemin de la pensée et des interrogations. C'est vrai du jour et de la nuit figurés en même temps dans *L'Empire des lumières* (repr. p. 6), qui est sans doute le plus célèbre des tableaux de Magritte et dont le titre est dû au poète Paul Nougé. (Il faut savoir, à l'encontre d'une légende assez tenace, que le fait d'un titre donné par autrui est assez rare: il est vrai que Magritte aimait à se réunir avec ses amis pour, les œuvres étant achevées, s'amuser avec eux à intituler celles-ci. Toutefois, il n'y a que peu d'exemples où il ait définitivement suivi leurs suggestions: «Le lendemain», nous a confié Georgette, sa femme, «il était fréquent qu'il ne fût plus satisfait de leurs trouvailles et qu'il adopte alors une appellation venue de son propre cru.») C'est vrai des *Vacances de Hegel* (repr. p. 30), qui juxtaposent un objet dont la fonction est de repousser l'eau (un parapluie) à un autre dont la fonction est de la contenir (un verre). Contraste disons-nous plutôt que contradiction, car l'idée ne va pas très loin et n'est digne que d'un Hegel en vacances, qui délaisserait les rigueurs des démonstrations logiques pour se laisser aller au divertissement des images. Contraste encore, autre exemple, entre la pesanteur de la pierre et la légèreté que lui attribue le tableau dès

REPRODUCTION A GAUCHE:
Portrait de Georgette au bilboquet, 1926
Le bilboquet, objet phallique signifiant le désir du peintre, surgit à côté du portrait de Georgette comme l'émouvant hommage de son amour.

REPRODUCTION A DROITE:
La Reproduction interdite, 1937
La peinture n'est pas un miroir qui reproduit les apparences du monde. C'est un miroir qui produit tout ce qu'il veut, y compris le dos des choses, leur face cachée. Confondre la peinture avec un art de la reproduction est une sottise.

Le Jockey perdu, 1926
Le jockey est perdu dans un monde irréel,
parmi les bilboquets musicaux qui sont aussi
des arbres, le tout sur une scène de théâtre
que figurent les rideaux. L'irréalité de la peinture est désormais le cœur du travail de
Magritte.

qu'il la représente occupée à flotter au beau milieu des airs: impossibilité qu'il
désigne par une autre impossibilité, *«La Clé de verre»* (repr. p. 8), ce qui, du
même coup, lui permet, suivant un procédé qu'il utilisera souvent, de rendre
hommage à l'un de ses auteurs favoris, Dashiel Hammet. Ici, on le soulignera,
le contraste n'est pas entre les objets, mais entre les propriétés de l'objet: le
poids de la pierre est incompatible avec la position que lui confère l'image
peinte. C'est que la peinture *peut* disposer à son gré des apparences et leur
imposer une logique qui contredit aux lois de la perception ordinaire. Cette
faculté d'infidélité à l'endroit du réel, autrement dit cette irréalité de principe
propre à la peinture – on ne fume pas dans une pipe peinte (*La Trahison des
images,* repr. p. 9); on ne fait pas l'amour à une toile (*Magie noire,* repr.
p. 28) –, Magritte n'a cessé d'en jouer et d'en faire un constant usage dans
l'établissement des saisissants contrastes qu'il n'eut de cesse d'inventer de
1926 (date du *Jockey perdu,* repr. p. 18), premier tableau qu'il considéra lui-
même comme étant surréaliste – même s'il est possible, nous y reviendrons,
de trouver bien avant des éléments annonciateurs de la démarche qui le rendit
célèbre: les fameux bilboquets que Max Ernst désigna du beau mot de «phallustrades» apparaissent dans *Portrait de Georgette au bilboquet* (repr. p. 15) et
La Baigneuse (repr. p. 10) est une peinture où il apparaît clairement que les

Le Joueur secret, 1927
Dans une allée de «phallustrades», selon le beau mot de Max Ernst, le peintre, joueur secret, au-dehors de la toile, fait se tenir ensemble de multiples impossibilités.

recherches cubistes sont délaissées au profit d'une construction déjà entière-ment surréelle[1] – à 1967, année de sa mort et d'une œuvre inachevée qui lui avait été commandée par un jeune collectionneur allemand, de Cologne, je crois. (Il voulait «quelque chose» dans l'esprit de *L'Empire des lumières* (repr. p. 6), mais ne put jamais entrer en possession de la commande dont l'exécu-tion fut interrompue par la mort: ce tableau est resté sur son chevalet, dans la maison des Magritte, 97 rue des Mimosas à Bruxelles jusqu'au décès de Geor-gette en 1986).

Dans le cimetière où Magritte, alors âgé de huit ans, jouait en compagnie d'une petite fille et s'initiait au sentiment érotique, il y avait, faut-il le rappe-ler, un peintre, c'est-à-dire un être doté du pouvoir magique de copier la réalité tout en ayant le loisir de lui être infidèle, de peindre le jour alors qu'il fait nuit, un oiseau alors que le modèle est encore à l'état d'œuf (*La Clair-voyance,* repr. p. 24) ou encore un miroir réfléchissant le dos du personnage qui lui fait face (*La Reproduction interdite,* repr. p. 15). Souvenir hautement prémonitoire donc, vu qu'il allie la véhémence d'un contraste «vie naissante» – «vie passée» au pouvoir pictural de capter ce contraste et de le donner à voir au moyen d'une image peinte. Les composantes principales de l'œuvre de Magritte sont présentes dans ce lointain souvenir, mais sous une forme qui les

Le Jockey perdu, 1948
Reprise épurée, simplifiée du tableau de
1926, cette œuvre produit le surréel avec une
plus grande économie de moyens. Les arbres
sont simplement peints comme s'ils étaient
des esquisses de feuilles, des nervures.

sépare ou qui les distingue encore (il y a d'un côté les enfants et leurs premiers
émois érotiques, de l'autre, l'action de peindre). L'union ou l'unification
systématique de contrastes, entendons d'associations *significatives,* c'est-à-
dire pensées, avec le libre pouvoir inhérent à l'acte de peindre constitue selon
nous la jonction des deux lignes de force qu'il convient d'avoir à l'esprit pour
pénétrer avec Magritte dans le monde merveilleux du *Domaine enchanté*
(repr. p. 32/33). Ajoutons déjà que cette liberté de la peinture à l'endroit de
ses modèles n'est pas, loin s'en faut, l'apanage de Magritte. On peut rappeler
à cet égard la jolie anecdote de Corot occupé à peindre un paysage et qu'un
quidam vint interrompre pour lui signaler qu'il ne voyait pas tel arbre pourtant figuré sur la toile: l'artiste alors, d'un mouvement de la main tenant sa
pipe, signifia que l'arbre en question existait bien, mais se trouvait derrière.
On se souviendra aussi de l'usage formidable que Picasso, peignant comme on
sculpte, c'est-à-dire en effectuant un mouvement tournant autour de l'objet
visé, avait fait de cette liberté et de son affirmation. Ce qu'il y a de spécifique
chez Magritte dans le rapport à la liberté de peindre tient à la manière mesu-
rée, pesée, rigoureusement et volontairement académique qui le caractérisa
toujours. Ce n'est pas qu'il n'y ait de très beaux Magritte sur le plan techni-

que: son usage du bleu est parfois digne de Degouve de Nuncques et l'on connaît la tentation de la période dite «Renoir» ou encore dite du «Plein soleil», période durant laquelle, au sortir de la guerre, il voulut apporter au monde une gaîté bien nécessaire (*Les Heureux Présages,* repr. p. 25) en changeant du tout au tout sa palette, mais l'essentiel n'est vraiment pas là.

Magritte est avant tout un peintre d'idées, de pensées visibles, pas de matières: il n'aimait ni l'abstraction lyrique, ni l'abstraction expressionniste qui, en montrant de la matière, ne montraient selon lui, rien qui fût digne de pensée, c'est-à-dire d'intérêt; Magritte n'avait pas d'atelier et à ceux qui s'en étonnaient, il signalait avec malice que la peinture était faite pour être déposée sur la toile et nullement sur la moquette, laquelle en effet restait sans taches. A la vérité, on ne peut même pas dire qu'il aimait peindre, il aimait plutôt penser par images et sitôt celles-ci élaborées à l'aide de croquis ou de petits dessins, il rechignait souvent à les transposer sur toile, préférant aller jouer aux échecs dans un café de Bruxelles connu pour cette activité: *Le Greenwich.* Bien qu'il ne fut pas un joueur de la force de Man Ray ou surtout de Marcel Duchamp (si dépité d'avoir été battu deux fois de suite par un gamin de onze ans du nom de Fischer), Magritte aimait cette sorte de mathé-

L'Empire des lumières (œuvre inachevée), 1967
Reprise de *L'Empire des lumières,* ce tableau interrompu par la mort, semble pétrifier le mystère des choses. La lumière intérieure, venant de la maison, est refermée à jamais sur son secret.

Eloge de la dialectique, 1936
«Un intérieur qui n'aurait pas d'extérieur ne serait pas même un intérieur.» Hegel.

matique du visible plus que l'action technique de peindre. On pourrait par mille anecdotes confirmer son dédain pour ce qui relève de ce que Bram Bogart appelle la «peinture-peinture» et Marcel Duchamp la classe des «réti-niens» qu'il opposait à la classe de «la matière grise». Ainsi, un jour que Georgette et un couple d'amis l'avaient persuadé de se rendre en Hollande pour visiter une exposition de Franz Hals, le plus grand maître peut-être de la couleur noire, il déclara avant de pénétrer dans le Musée que son petit chien Loulou n'avait pas envie de voir Franz Hals, et tandis que sa femme et ses amis parcouraient l'exposition, il s'en fut les attendre dans un petit café où il se saoula à l'advokaat, liqueur à l'œuf, fort sucrée et vite écœurante. De même détestait-il les voyages dits culturels: après avoir vu la pyramide de Chéops en Egypte, il se contenta d'un laconique «je m'en doutais que c'était ainsi». Dans le même esprit, il répétait souvent que la reproduction d'un tableau lui suffisait amplement et qu'il n'avait pas plus à faire de voir les originaux que de lire les livres dans les manuscrits de leurs auteurs: par l'évo-cation de cette boutade où il est loisible de découvrir et les traces de l'esprit Dada, et le fait, selon nous incontestable, qu'il s'apparentait davantage à

Le Salon de Dieu, 1948
Le Salon de Dieu inverse les valeurs jour-nuit
et ciel-terre qui étaient le propre de
L'Empire des lumières. Seul Dieu pourrait
faire de tels miracles et contredire ainsi les
données du présent.

l'esprit des objets d'un Marcel Duchamp que par exemple à celui des *Forêts* de
son ami Max Ernst (pour qui il peignit *Le Rossignol,* repr. p. 22), nous entendons souligner l'aspect intellectualiste, mental, hyperréfléchi de cette peinture. C'est une œuvre pour philosophes ou en tout cas pour amateurs de
philosophie: chez Magritte, le choc poétique ou si l'on préfère l'émotion
esthétique provoquée par l'image peinte est toujours inséparable d'un plaisir
réflexif, d'une jubilation de la pensée contrainte de s'activer. Ainsi *L'Au-delà*
(repr. p. 31) est-il montré par une simple tombe dénuée d'inscription, manière
de rappeler très ironiquement qu'il n'y a pas de vie sans corps, sans chair, sans
les sens et parmi ceux-ci l'œil. Il n'y a de vie que sensible et de peinture que
visible: ce que l'on peut voir de l'au-delà, ce n'est pas son être même, son
essence invisible, c'est, au mieux, un objet qui, de l'intérieur même du visible,
en souligne la limite, y indique une infranchissable frontière. On ne va pas au-
delà d'une pierre tombale; c'est une chose très définitive, à jamais refermée
sur soi et qui peut seulement en appeler à *La Mémoire* (repr. p. 30). Et celle-ci
comment la figurer mieux et la faire mieux voir que par le visage sculpté d'une
jeune femme que l'on sait disparue, qui fut vivante, mais ne l'est plus et ne le

sera plus, une tache de sang sur la tempe marquant avec force cette vie de jadis, à jamais révolue? Dans le même ordre d'idées, signalons encore *Le Viol* (repr. p. 29), qui est sans doute l'une des images les plus fortes du surréalisme et que Georges Bataille ne pouvait contempler sans être saisi d'un irrépressible rire nerveux. Les yeux sont des seins, le nez un nombril et la bouche un pubis. C'est cela le visage d'une femme dotée de sex-appeal, c'est-à-dire de la capacité à faire passer la séduction du tout de son corps et de sa chair dans ses organes les plus théoriques: les yeux et la bouche. Ah, comme les femmes savent amener leur sexe dans leurs regards! Et comme la peinture, cet art du visible, se montre ici habile à figurer ce constant appel au sexe qui ponctue presque toutes les minutes de la vie. Proche par cette toile de la perversité érotique de Hans Bellmer, mais la tristesse en moins, Magritte détruit l'évidence des évidences, celle du visage, en y substituant une évidence plus évidente encore. L'image-choc *et* la pensée qui s'y implique, la vision simple *et* la vision réfléchie, la vue *et* la vue de la vue sont les composantes-clé de l'œuvre de Magritte, les deux exigences qu'il ne cesse de maintenir unies dans chacune de ses œuvres. Il y a chez lui un usage résolument subversif de la perception ordinaire: les objets qu'il peint sont tous éminemment reconnaissables, empruntés à la banalité et à la quotidienneté, mais dès qu'ils sont peints, fût-ce de manière très académique, comme pour une leçon de choses à l'école élémentaire, tout change et se met à vaciller, car Magritte les présente selon une logique poétique, selon un ordre capable de les faire apparaître sous un jour inédit, dotés d'une force tout à fait neuve. Magritte en effet ne cesse de faire un usage contestataire et dérangeant de la liberté de manœuvre propre à l'art des apparences. En remplaçant dans une cage l'oiseau par un œuf disproportionné (*Les Affinités électives,* repr. p. 26), il montre bien l'imbécile cruauté des hommes toujours si prompts à vouloir domestiquer, dominer et contrôler les diverses formes de la vie. En nous montrant un lion sur un pont où il n'a rien à faire et en attribuant des ailes repliées à un homme qui, mélancolique, songe à partir, rêve de fuir ou de mourir, désire en tout cas échapper à la prison du monde, ne signifie-t-il pas *Le Mal du pays,* (repr. p. 27), la songerie amère de qui se prend à désirer un impossible ailleurs? Homme sage et pondéré, discret, anonyme presque, Magritte était cependant révolté par la bêtise et la méchanceté des hommes, par la bassesse et la vulgarité de l'existence moderne. «Je ne suis pas un ‹militant›, confessa-t-il à Patrick Waldberg en 1965. Je ne me sens armé ni par la compétence ni par l'énergie pour la lutte politique. Je tiens cependant à ce que tu dises que je suis, que je reste *pour* ‹le socialisme›... c'est-à-dire, un système qui ferait disparaître les inégalités de fortune, les contraintes, les guerres. Sous quelle forme? Je ne sais, mais c'est de ce côté-là que je me situe, malgré les échecs et les déceptions.»[2]

Le père de Magritte était tailleur ainsi que commerçant, sa mère était modiste: leurs affaires marchaient mal; son enfance se passa de déménagement en déménagement: Lessines, Gilly, Châtelet, Charleroi, Châtelet, puis Charleroi encore, lorsqu'il fut confié à la garde de bonnes et de sa grand-mère après l'effroyable drame du suicide de sa mère, née Regina Bertinchamps. Pour une raison restée inexpliquée, elle s'est précipitée dans les flots sombres de la Sambre alors que René était âgé de quatorze ans. L'événement a été rapporté très ultérieurement par Louis Scutenaire en des termes qui, selon

Etude pour *Le Rossignol,* 1962

Le Rossignol, 1962
Le «Rossignol» est un objet qui vaut moins que son prix. La peinture ne serait-elle pas capable de nous refiler l'idée que Dieu est un vieillard à barbe blanche trônant parmi les nuages? Il n'est pas impossible de voir dans cette image simpliste une critique de Delvaux et de ses scènes de gare.

La Clairvoyance, 1936
Le peintre pense en peignant; l'œuf est déjà
l'oiseau. Peindre le réel équivaut à le penser
par l'image, par une trahison féconde.

Georgette Magritte que nous avons bien connue et souvent interrogée à ce propos comme à de nombreux autres, relevaient d'une affabulation certaine. Le seul souvenir que Magritte disait avoir gardé de cet événement n'était autre qu'un sentiment de fierté provoqué par le fait de s'être soudainement retrouvé le centre d'intérêt et d'apitoiement de son entourage et de ses condisciples à l'Athénée de Charleroi. Il est en outre certain qu'il n'a pas vu le cadavre de sa mère, «le visage couvert d'une chemise de nuit», et que les interprétations comiquement psychanalytiques de son œuvre commises entre autres par David Sylvester manquent du plus élémentaire sérieux. C'est, redisons-le une fois encore, du côté de la littérature, de la pensée et de la philosophie qu'il faut aller rechercher les éléments capables d'éclairer le mieux cette œuvre d'exception.

«La psychanalyse n'a rien à dire, non plus, des œuvres d'art qui évoquent le mystère du monde. Peut-être la psychanalyse est-elle le meilleur sujet à traiter par la psychanalyse.»

Il voyait dans cette pseudo-science de l'inconscient une démarche à la fois

Les Heureux Présages, 1944
La colombe de la paix et les fleurs peintes dans les couleurs vives de la période du «Plein Soleil» annonçent la joie qui succéda aux heures sombres de la guerre. Magritte avait offert cette œuvre à la sœur de Georgette.

Magritte peignant *La Clairvoyance,* 1936. Double autoportrait.

policière et politique visant – comme l'a très bien démontré Michel Foucault avec qui Magritte entretint une belle et très éclairante correspondance[3] – à parfaire l'oppression de la vie par le rabattement du désir sur le triangle familial, sur la logique du couple légitime. L'amour, en psychanalyse, c'est toujours papa, maman et moi! Si Magritte était profondément surréaliste par son sens de «l'amour fou», lui qui avait écrit «bienheureux celui qui, pour l'amour d'une femme, est amené à trahir ses propres convictions»[4], il s'opposait aux thèses de Freud, aux expériences automatistes fondées sur les puissances de l'inconscient et à tout ce qui, sous la sourcilleuse houlette d'André Breton, menaçait si souvent de tourner à la dogmatique et au gendarmage. Les hommes véritablement habités par l'esprit surréaliste ne pouvaient manquer, un jour ou l'autre, d'être exclus du mouvement lui-même. André Masson l'avait bien compris qui demanda de sa propre initiative à être écarté et à qui Breton répondit:
– «Pourquoi donc? Je n'ai jamais fait pression sur vous.»
– «C'est la preuve», rétorqua Masson, «que vous l'avez fait sur d'autres.»
Et Magritte, à qui Breton, indigné, avait écrit: «Votre dialectique et votre surréalisme en plein soleil sont cousus de fil blanc», rétorqua: «Mille regrets. le fil blanc est sur votre bobine, Breton». L'on pourrait à cet égard multiplier les anecdotes, mais ce serait nuire à l'unité profonde qui, par-delà les divergences et parfois les enfantillages qui séparaient les hommes, soudait cette cohorte d'inspirés. A cet égard, il est bon de rappeler qu'un soir où Georgette et René Magritte se rendaient à une réunion du groupe surréaliste en compagnie de Paul Eluard, celui-ci fit observer à Georgette, alors qu'ils se trouvaient encore dans le taxi, qu'elle ferait mieux de dissimuler la petite croix en or qu'elle portait autour du cou, car Breton ne manquerait pas de s'en irriter. Elle n'en fit rien, mais «le pape» en effet souligna le caractère non-surréaliste de l'objet et Magritte décida que, ce soir-là, sa femme et lui n'assisteraient pas à la réunion. Dès le lendemain, toutefois, l'incident était clos et les Magritte, – Georgette gardant autour du cou le souvenir qui lui venait de sa mère – se

Les Affinités électives, 1933
Il serait aussi sot et aussi cruel d'enfermer un œuf en cage qu'il l'est d'y emprisonner un oiseau. La vie supporte mal la cage où l'humain tente de l'enfermer.

Georgette et René Magritte, 1920

retrouvèrent aux réunions en compagnie des Breton, Dalí, Miró, Max Ernst et tant autres. En ces matières, de tenaces légendes ont parfois tendance à grossir démesurément de petites brouilles anodines. L'important est que l'œuvre de Magritte soit celle d'un surréaliste; le fait qu'il se soit heurté comme tant d'autres à l'intransigeance de Breton ne change rien à ceci que sa peinture s'avère capable non seulement de faire la différence entre la réalité ordinaire et la nature poétique de la pensée, mais encore de manifester cette différence, de peindre l'écart lui-même. Avec Magritte, le surréalisme naît de l'infidélité du miroir pictural: le regard du peintre, c'est-à-dire le regard venu du corps, venu des profondeurs du sensible est un *Faux Miroir* (repr. p. 11). L'œil du peintre trahit ce qu'il contemple; c'est un miroir qui ajoute aux choses le mystère qu'elles dissimulent, mystère qui certes *est* toujours là, mais que par elles-mêmes, sans l'intervention de l'art et de l'esprit, les choses ne sauraient révéler.

René Magritte eut deux frères un peu plus jeunes que lui: Paul et Raymond (photo p. 10). Celui-ci, le cadet, fut un homme d'affaires avisé, un

Le Mal du pays, 1940
Le lion et l'homme aux ailes repliées n'ont rien à faire sur ce pont. Mélancolie de ceux qui savent que la vraie vie est toujours un ailleurs qui n'existe pas.

esprit pratique et réaliste que l'art et la poésie agaçaient et qui, même après les premiers grands succès de son frère, continua à le tenir pour un farfelu et pour un «con». Il est vrai qu'il y avait chez Magritte une réelle propension à l'asocialité et que son tempérament de révolté s'accommodait souvent mal de certaines mondanités ou de certaines conventions. Un jour que le Roi avait décidé de donner une fête en son honneur, – dans l'intention peut-être de lui passer commande d'une toile – il téléphona, quelques heures avant le début du dîner, au maître de cérémonie du Palais Royal pour faire savoir qu'ayant malencontreusement fait un trou dans son smoking avec sa cigarette, il ne pouvait assister aux festivités. Tôt brouillé avec Raymond qu'il jugeait trop bourgeois et trop conformiste, Magritte resta toujours très proche de Paul qui, pour sa part, était compositeur de musique populaire: on lui doit «Le petit nid», «Quand je t'ai donné mon cœur» ainsi que deux chansons de Georgius, «J'aime ma maison» et «Je suis blasé». Sur un poème de Paul Colinet, il composa aussi «Marie trombone chapeau buse», petit chef-d'œuvre digne de Satie et de Fargue. Durant leur enfance, Paul et René, souvent liés contre leur

Portraits de Georgette et Loulou blanc.

cadet, partageaient une insatiable curiosité pour les maîtresses de leur père, veuf très consolable, ainsi qu'un amour immodéré pour les joies du cinématographe: les années de 1913 et 1914 leur permirent de rêver avec la célèbre série des Fantômas, inspirée du roman de Souvestre et Allain. Les jeudis et les dimanches s'éclairaient des exploits de cet être du multiple, de ce héros maléfique et sans identité, criminel absolu, mais très populaire et qui avait réussi l'enviable exploit de se faire aimer *pour* ses forfaits. Nul doute que ce mystérieux défi lancé à l'Ordre établi et à la logique des pouvoirs ne fut pour Magritte une profonde source d'inspiration et pour le thème de certaines toiles (que l'on songe au *Retour de flamme* [repr p. 12], ou à *L'Assassin menacé* [repr. p. 14]), et pour, ainsi que l'a justement signalé Patrick Waldberg[5], l'invention des titres qui, dans l'œuvre de Magritte, jouent un rôle important. Ils ont en effet pour fonction d'empêcher la perception réaliste: la femme au chapeau à plumes, le visage masqué par un bouquet de violettes, doit être vue comme *La Grande Guerre* (repr. p. 13), entendons comme l'inlassable conflit intérieur au visible, là où tout objet, toujours, en cache un autre. En se montrant, tout objet dissimule, est donc comme le rideau d'un autre: mouvance infernale dont Magritte tint toujours le plus grand compte. Il y a un envers des choses, plus vaste, plus fascinant que leur apparence, leur face évidente ou leur visage, et c'est ce dos ou cette nuit des êtres et des choses que Magritte subtilement capture et, contre toute logique, réussit à faire voir. Le titre n'est donc jamais descriptif ou identificateur: il joue au contraire comme un écart supplémentaire, comme un déroutement de plus destiné à produire au sein du langage et de la logique des mots un choc analogue à celui qui s'est opéré dans l'image du tableau. L'œuvre de Magritte est certes figurative, mais elle est un attentat permanent contre la représentation. Les figures chez lui perdent en identité ce qu'elles gagnent en mystère, en différence: il n'y a rien d'autre à voir que l'image peinte, mais la magie de Magritte tient à ceci qu'aucune de ses œuvres ne saurait être vue sans être en même temps pensée. Avec Magritte, le mystère entre dans le quotidien et la subversion de la pensée devient une douce habitude; la joie est constante, le fête de tous les instants.

A Charleroi, outre les délices du cinématographe, une foire venait briser la monotonie des jours. Elle avait lieu Place du manège en face du Musée des Beaux-Arts, qui aujourd'hui expose dans sa galerie permanente nombre de Magritte, et à proximité du Palais des Beaux-Arts qui abrite l'une de ses fresques les plus célèbres: *La Fée ignorante* (repr. p. 32/33). La fête foraine de 1913 devait illuminer à jamais sa vie. Parmi les baraques et les amusements divers, il y avait un carroussel-salon, établissement forain aujourd'hui disparu: après un tour sur les chevaux de bois, garçons et filles s'y promenaient en rond, la main dans la main, au son d'un orgue Limonaire; c'était l'un des endroits où les jeunes des deux sexes trouvaient à faire connaissance et à vivre leurs premiers flirts. Agé de quinze ans, Magritte invita pour la ronde une petite fille qui n'avait pas treize ans. Son père était boucher à Marcinelle, quartier de ce que l'on appelle aujourd'hui le grand Charleroi. Comme on dit, l'amour était au rendez-vous car, si la vie devait les séparer quelque temps, ils allaient finalement se retrouver et ne plus se quitter. La mère de Georgette décéda et comme ni elle, ni surtout sa sœur aînée, Léontine, ne supportaient l'idée que leur père devenu veuf envisage de se remarier et d'imposer à la

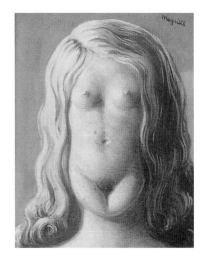

Le Viol, 1948
Il arrive que certains visages de femme aient du sex-appeal. N'est-ce pas ainsi qu'il convient de les voir?

Le Masque de l'éclair, 1967
La toile ne saurait capter la rapidité de l'éclair. Le mystère est toujours en retrait. Partiellement caché par la pipe, le corps nu de la femme cache partiellement le nuage. Ce jeu de cache-cache caractérisant le visible montre bien la limite du visible, son incapacité à éclairer d'un seul coup les ténèbres du monde.

Magie noire, 1933–34
«Magie» que le pouvoir pictural puisse éterniser l'objet de son désir, mais douloureuse «noirceur» que cet objet soit sans vie.

La Mémoire, 1945
Directement inspirée de Giorgio de Chirico,
cette œuvre garde en mémoire la vie silen-
cieuse que dénient les natures mortes.

Les Vacances de Hegel, 1958
Hegel, le penseur de la contradiction, est en
vacances: le verre qui contient l'eau et le
parapluie qui la repousse sont juxtaposés
dans une image «divertissante».

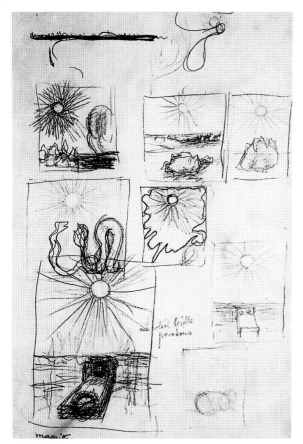

maison une autre femme, les deux sœurs partirent pour Bruxelles. Ayant trouvé du travail dans une coopérative artistique sise non loin de la Grand Place, elles s'installèrent dans la capitale. Léontine épousa Pierre Hoyer, le patron du magasin; Georgette, quelque temps solitaire, se promenait au Jardin Botanique, aujourd'hui devenu une Maison de la Culture, lorsqu'elle revit René, en 1920. Ils s'unirent et Georgette devint son unique modèle. Ils se marièrent en 1922, année, qui fut sans doute la plus décisive dans la vie de Magritte et la formation de son œuvre.

REPRODUCTION A GAUCHE:
Etude pour *L'Au-delà,* 1938

REPRODUCTION A DROITE:
L'Au-delà, 1938
Il n'y a pas d'au-delà dans le sens où il y aurait une vie après la mort. L'au-delà, c'est la méditation sur un objet définitif, tel une tombe sans inscription. L'au-delà de la peinture est *dans* la peinture tout comme la sensation de la mort est *dans* la vie.

REPRODUCTION EN HAUT ET AU MILIEU:
Le Domaine enchanté, 1953
Véritable condensé de tous les thèmes de
Magritte, cette fresque déroule sous nos yeux
tous les principes mis en œuvre par cette pein-
ture enchantée.

REPRODUCTION EN BAS:
Le Fée ignorante, 1957
Cette fresque du Palais des Beaux-Arts de
Charleroi nous fait voir la peinture comme
une «Fée ignorante», c'est-à-dire comme

capable d'une magie dont le sens lui échappe.
«Le Sens, c'est l'impossible», aimait à répéter
Magritte.

REPRODUCTION P.34/35:
Photo de l'intérieur du Casino de Knokke-le-Zoute avec la peinture murale *Le Domaine enchanté* (1953) de René Magritte.

Les énigmes de la poésie

Ce qui est vrai aujourd'hui l'était déjà en 1916: à Charleroi aucune vie artistique n'est vraiment possible; les créateurs n'ont pour alternative que l'indiffé-
rence et le marasme local ou alors les difficultés de l'exil. Magritte se résolut
donc à gagner Bruxelles où il s'inscrivit à l'Académie des Beaux-Arts pour
suivre sans enthousiasme ni assiduité les cours de littérature de Georges Van
Eckhoud et de peinture du symboliste Constant Montald. Celui-ci fut aussi,
entre autres, le professeur de Paul Delvaux et du jeune André Masson qui,
dès quatorze ans, en raison de la précocité de ses talents, avait été admis aux
leçons. Mais quand Magritte arriva dans la capitale belge, André Masson,
citoyen français n'y était plus: il connaissait en tant que fantassin des pre-
mières lignes les indescriptibles horreurs du front. Ni *Les Sentiers de la gloire*
de Kubrick ni *Voyage au bout de la nuit* de Céline, ni même *Orages d'acier* de
Jünger n'atteignent en violence les monstruosités militaristes qu'André Masson nous raconta et dont il garda sa vie durant l'effroyable souvenir. Au cours
des nombreux entretiens que nous eûmes la chance d'avoir avec lui et à la
faveur desquels il nous fit part des réflexions de Heidegger qu'il interrogeait à
propos de *L'Être et le Néant* de Sartre («du néant, il en a trop mis») ou encore
de la certitude où était le penseur allemand d'avoir découvert et compris la
peinture «trop tard», André Masson, immanquablement, revenait sur la question du «nettoyage des tranchées», moment où les Français tiraient sur les
Français et les Allemands sur les Allemands afin de «redresser» les lignes et
permettre que les sabreurs ordonnassent le lendemain des charges et des
assauts au dessin plus net. Magritte qui, contre l'avis de Max Ernst et de
quelques autres, partagea toujours avec André Masson la plus vive admiration pour l'auteur de *Sein und Zeit,* n'eut donc pas à connaître directement les
terreurs du combat; il connut seulement les privations et la gêne, écœuré par
l'abîme qui sépare toujours les enseignements artistiques des engagements et
des mystères de la poésie. Il se consolait de l'indigence des cours par ses
lectures, celle de *Fantômas* à qui il resta toujours fidèle, mais celle surtout de
Robert-Louis Stevenson, à qui quelques versions de *L'Île au trésor* rendent un
vibrant hommage. Que des feuilles deviennent des oiseaux, faisant l'économie
des branches où ceux-ci pourraient se percher, on ne s'en étonnera plus:
privée d'un maillon logique, la chaîne du réel laisse apparaître le trésor de la
différence: l'interstice manquant dans l'association feuilles – (branches) –
oiseaux, procédé que l'on retrouve dans *Les Compagnons de la peur* (repr.
p. 39) ou sous une autre forme dans *Le Regard intérieur* et tant d'autres
œuvres – creuse au sein du visible un abîme d'où peut émerger l'ombre splen-

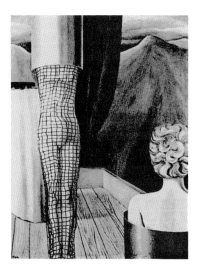

*Les Complices du magicien ou l'Age des mer-
veilles,* 1926

Les Fleurs du mal, 1946
Une femme nue et splendide, une main
appuyée sur un socle de pierre, l'autre tenant
négligemment une fleur. La mer est un simple
décor d'arrière-plan et les rideaux sont là
pour rappeler qu'il s'agit de peinture. Le
triomphe de la sensualité est un hommage à la
poésie, à Charles Baudelaire.

dide du mystère. Tout à l'exemple de Stevenson jouant comme nul autre du réalisme et du romantisme, de la description rigoureuse et du merveilleux qui peut s'y glisser, Magritte, par une invraisemblance parfaitement voulue, tout à coup délaisse et ébranle le socle de la perception ordinaire. Ce qu'il cherchait, encore très confusément lors de ses lectures de Stevenson, à la vérité ne concernait ni les oppositions dessin-couleur, ni les équilibres formels, cela s'orientait plutôt vers la réalité visible *et* l'écart intérieur qui s'y trouve. Une fois cet écart localisé, la perception ordinaire peut être subtilement faussée et par là rendue merveilleuse. A ce propos, il serait toutefois abusif de prétendre que Stevenson fut sa seule source d'inspiration: il faut citer Hegel avec *L'Eloge de la dialectique* (repr. p. 20), Baudelaire et *Les Fleurs du mal* (repr. p. 36) ou *La Géante* (repr. 40), Verlaine, Heidegger, Lautréamont, sur qui nous ne manquerons pas de revenir, mais plus encore que tous ceux-ci et que Stevenson lui-même, c'est Edgar Allan Poe qui exerça sur la pensée et l'œuvre de Magritte l'influence la plus marquante et la plus durable. On connaît à cet égard l'histoire de *La Lettre Volée:* un ministre bénéficiant de la confiance du couple royal perçoit que la reine tente de dissimuler au roi une missive que l'auguste époux ne voit pas. Sous les yeux de la reine réduite au silence par la situation (elle ne pourrait protester contre le larcin qu'en faisant éclater la

Les Compagnons de la peur, 1942
Les oiseaux-feuilles sont ici nocturnes: ils sont en une seule image tous les dangers et toutes les peurs de la nuit, de l'absence de pensée où l'humanité continue à croupir.

Les Grâces naturelles, 1967
Ce bronze exécuté par Berrocal reprend le thème de *l'Ile au trésor.* Robert-Louis Stevenson savait en effet faire surgir le merveilleux d'une description réaliste. C'est à lui que ces oiseaux-feuilles, sans branches, ni arbres, rendent un magnifique hommage.

La Géante, 1929–30
Ce poème de Baudelaire, dont il existe d'autres versions que celle retenue par Magritte, décrit les pouvoirs merveilleux et sensuels de la poésie elle-même. Magritte en donne ici sa version picturale.

preuve qu'elle veut dissimuler), le ministre vole la lettre en y substituant une autre. Pour se sortir de la dépendance où elle se sent, la reine charge le préfet de police de récupérer la lettre volée en prenant soin de décrire le cachet de cire rouge qui la scellait. Cherchant sans réfléchir, et donc sans voir, le malheureux fonctionnaire échoue dans toutes ses recherches tandis que Dupin, à qui il a confié sa mésaventure, va, quant à lui, réussir. Il voit la lettre du premier coup dans le cabinet du ministre et ce, bien qu'elle ait été froissée, inversée et recouverte d'un cachet de cire noire; lors d'une seconde visite, il réussit à récupérer l'objet en usant d'un grossier stratagème: il fait tout simplement tirer un coup de feu dans la rue et tandis que le ministre ouvre les fenêtres pour voir ce qui se passe là où rien d'autre n'a lieu que le détournement de son attention, le rusé Dupin, imitant les prestidigitateurs, s'empare de la lettre en la remplaçant, lui aussi, par une autre où il a transcrit de sa propre écriture (que le ministre connaît bien) des vers de Crébillon père:

«. . . *un dessein si funeste s'il n'est digne d'Atrée, est digne de Thyeste*».

La lettre, parole écrite qui se trouve ici volée, change de sens avec ceux qui, en la possédant, sont eux-mêmes possédés. En effet, là où la reine avait une déclaration d'amour prouvant son infidélité, le ministre a perçu un moyen de chantage en vérité inutilisable vu qu'il met en cause l'alliance du roi et de la reine, alliance dont lui-même, en tant que ministre, tire tout son pouvoir. En possédant la lettre, il détient en fait la preuve du désordre qu'il a charge d'éviter: il ne saurait donc la produire sans se nuire à lui-même. En revolant la lettre, Dupin ne fait rien d'autre que souligner l'illusoire supériorité narcissique du ministre: celui-ci n'a plus, à l'instar de Thyeste, qu'à dévorer ses propres enfants. Dupin vend la lettre au préfet de police qui, pour sa part, n'a rien vu et rien compris. Son défaut est d'avoir cherché la réalité de la lettre au lieu du sens qui se modifie à chaque changement de détenteur et d'apparence. Ce conte de Poe, qui divise les acteurs de l'histoire en voyeurs réalistes et en voyeurs réfléchis, peut être lu comme un traité initiatique à la peinture de Magritte. Pour cette peinture, en effet, la vision du réel, le contrôle des identités ne suffit pas: il faut réfléchir la vue, la fléchir vers l'arrière, la penser . . . Seule une telle vision méditative permet d'entrer dans le jeu subtil des énigmes de Magritte, ce qui ne veut pas dire permettre de s'emparer du mystère comme d'une chose que l'on pourrait posséder ou acheter. Ce que la réflexion permet d'atteindre, c'est la sensation du mystère, aucunement un concept, une recette ou une clé. Ou alors, comme disait si justement Patrick Waldberg, ce serait «une clé de cendres», n'ouvrant sur rien, ne s'adaptant à aucune serrure. Les pensées visibles, que sont les images peintes par Magritte, se referment sur leur secret sitôt que l'on s'imagine en avoir épuisé le sens. Ce sont des images véhémentement *poétiques. Le Domaine d'Arnheim* (repr. p. 42), chef-d'œuvre dont il existe de nombreuses versions, tant sur toile que sous forme de gouaches souligne d'une autre façon l'inconditionnelle admiration que Magritte ne cessa de vouer à Edgar Allan Poe. En lui empruntant ce titre pour désigner une montagne prenant toute entière la forme d'un aigle, tandis qu'au premier plan un nid et des œufs sont là pour signifier la nature aviaire de la poésie, Magritte ne pouvait rendre un plus vif hommage à celui qui fut toujours son plus grand inspirateur. Outre ses lectures, dont on souli-

Le Tombeau des lutteurs, 1961
«La rose est sans pourquoi», elle fleurit parce qu'elle fleurit, tout simplement.
C'est cette dimension mystérieuse que René Magritte agrandit, soulignant du même coup, la limite de la pensée, le tombeau de ceux qui *luttent* pour enfin savoir pourquoi diable il y a quelque chose plutôt que rien.

Le Domaine d'Arnheim, 1938
«Il n'existe dans la nature aucune combinaison décorative telle que le peintre de génie la pourrait produire».
Edgar Allan Poe in Le Domaine d'Arnheim
Sur une *carte postale* reproduisant *le Chant d'Amour,* Magritte a *vu* la pensée, à savoir le principe de *La Lettre volée* d'Edgar Allan Poe: «*L'invisible n'est pas caché au regard*». Encore faut-il que le regard soit pensant, qu'il sache qu'il a un dos, un envers, un corps sur quoi il prend appui lorsqu'il s'élance au devant de soi.
Et c'est ce «dos» que Magritte aimait montrer et photographier.

gnera toujours trop peu l'importance qu'elles eurent, Magritte fit à Bruxelles quelques rencontres tout à fait propres à conforter et sa haine de l'Ordre établi, et sa ferveur poétique. Il y eut d'abord Pierre Bourgeois, avec qui Magritte fit son service militaire, et qui le familiarisa avec les recherches futuristes. Il s'y adonna durant quelques années, mais dans un esprit fort peu orthodoxe. C'est que l'érotisme l'inspirait davantage que la foi dans la vitesse et les grandissantes promesses de la technique. C'est pourquoi les poètes Edouard Mesens et Marcel Lecomte lui furent d'une aide autrement précieuse durant ses années de formation. Le premier, qui était le professeur de piano de Paul, son frère, aima très tôt l'œuvre de Magritte et lui apporta le stimulant de ses nombreuses relations dans les milieux dadaïstes ainsi que le soutien financier matérialisé par de nombreux achats: il devait même, au début des années trente, devenir à Londres le marchand de Magritte, aidé dans cette tâche par Penrose. Le second, Marcel Lecomte, lié lui aussi à Dada, entre autres à Clément Pensaers, auteur de curieuses plaquettes intitulées *Bar Nicanor,* ou encore *Le pan pan au cul du nu nègre,* fut à l'origine du plus grand déclic poétique qui se produisit dans l'esprit de Magritte. Alors que celui-ci, découragé par ses premiers échecs commerciaux, travaillait à dessiner des motifs dans une fabrique de papiers peints, tâche qu'il exécutait en compagnie du peintre cubiste Victor Servranck, Marcel Lecomte vint l'y retrouver et lui montra une reproduction d'un tableau de Giorgio de Chirico intitulé *Le Chant de l'Amour* (repr. p. 43). «*Ce fut*», écrira-t-il, «*un des moments les plus émouvants de ma vie: mes yeux ont vu la pensée pour la première fois*». (Ecrits p. 664).

L'étonnant est qu'une émotion assez semblable s'était emparée de Max Ernst à Munich en 1919 et devait, plus tard, en 1923, s'emparer de Tanguy, au point d'amener celui-ci à sauter d'un autobus en marche pour admirer à son tour une œuvre du maître des énigmes. C'est ce même de Chirico, dont André Masson disait qu'il était à ses yeux «l'un des plus grands peintres du monde», qui devait encore inspirer et enthousiasmer l'autre grand représentant du surréalisme belge, wallon lui aussi, né à Huy en 1897: Paul Delvaux. A la vérité, Magritte n'aimait guère Paul Delvaux: «Monsieur Delvache», disait-il, «a encore fait ceci ou cela» . . . Il est vrai que beaucoup de choses séparaient ces deux grands artistes: leurs lectures (Delvaux préférait l'imagination d'un Jules Verne aux rigueurs poétiques de Poe), mais encore et surtout leur manière de peindre. Delvaux était un rétinien, amoureux des belles matières et des visions toutes simples, donnant plus à rêver et à sentir qu'à penser et réfléchir. Fils d'une famille aisée, Delvaux n'eut jamais à connaître les soucis matériels tandis que Magritte, connaissant la gêne et la pauvreté, était davantage un révolté, un peintre de la «matière grise», un enfant de la métaphysique plus que des suavités de l'imaginaire. Magritte dérangeait alors que Delvaux savait plaire, mais sut toujours, quant à lui, exprimer son admiration et sa dette envers son génial compatriote qu'il considère avoir été, avec de Chirico dont nous avons parlé, sa plus grande source d'inspiration. Par-delà ces divergences de vue et de tempérament, ce qu'il importait de souligner est combien les surréalistes se sont tous sentis redevables du maître de la métaphysique italienne. 1922, année de son mariage avec Georgette, la femme de sa vie, fut ainsi l'année où il fit sa découverte du visible la plus fondamentale et la plus inspirante: nul doute qu'elle surpasse et *La Maison aveugle* (1853) de Degouve de Nuncques (source de *l'Empire des lumières*), et les bouleversants collages de Max Ernst, pour qui Magritte professa toujours la plus vive admiration. Citer E.L.T. Mesens et Marcel Lecomte, c'est aussi devoir évoquer Camille Goemans (qui s'installa à Paris peu de temps avant que les Magritte n'y fassent leur séjour à Perreux-sur-Marne, en 1927), André Souris, Van Bruaene et surtout Paul Nougé avec qui Magritte partagea une admiration littéraire aussi fondamentale peut-être que celles déjà mentionnées pour Stevenson et Poe, à savoir Mallarmé. *La Page blanche* (repr. p. 47), lune visible *devant* un rideau de feuilles et non à travers, trouve son commentaire le meilleur dans *Brise marine*, et la fleur, «l'absente de tous bouquets»,[6] d'être toute entière faite des seuls mots que la poésie assemble, ne trouve-t-elle pas son plus bel éloge dans le mécanisme mental qui gouverne des œuvres comme *Le Bouquet tout fait* (repr. p. 46) ou encore *Le Tombeau des lutteurs* (repr. p. 41). Paul Nougé qui, pour une raison qui nous est restée inconnue, se fâcha avec Magritte au point de dissuader le philosophe Max Loreau de lui rendre jamais visite et de répondre à toutes les interrogations de Patrick Waldberg par «Le bonhomme ne m'intéresse plus», reste cependant l'auteur de l'un des écrits les plus éclairants jamais consacrés à Magritte. On peut lire dans *Les Images défendues*: «Un grelot, une forêt, un torse de femme, un pan de ciel, un rideau, une main, une montagne, au milieu du silence annonciateur. Et le vent mystérieux se lève, l'expérience va commencer». C'est encore le même

Giorgio de Chirico
Le Chant d'amour, 1914

Dessin extrait du cahier «Pour illustrer Magritte», Les Lèvres Nues, avril 1970

L'Eminence grise, 1938

Le Beau Monde, 1962
«Je pouvais voir le monde comme s'il était un rideau placé devant mes yeux.» Magritte.

Paul Nougé qui introduisit Louis Scutenaire auprès de Magritte: l'entrevue eut lieu au *Cirio* en 1926, un café de Bruxelles demeuré inchangé jusqu'à nos jours. On devra à Louis Scutenaire, dans *Mes Inscriptions,* ouvrage paru à Paris en 1945, une phrase qui, à sa manière, résume parfaitement la singularité du génie de Magritte: «Pour s'évader, il s'est servi de sa prison». Comment mieux commenter *Le Beau Monde* (repr. p. 44), où l'on perçoit que Magritte voyant le visible comme s'il s'agissait d'un rideau, c'est-à-dire d'un moyen de dissimulation, s'en servait pour piéger la dissimulation elle-même en la contraignant à se révéler. N'est-ce pas cette même obsession qui apparaît dans *Décalcomanie* (repr. p. 49), œuvre qui fut dérobée chez le philosophe Chaïm Perelman, peu de temps avant sa mort, mais qui vient d'être retrouvée à Londres? Ce spécialiste de la rhétorique et de l'argumentation était, avec d'ailleurs le phénoménologue Alphonse de Waelhens, l'un des familiers de Magritte, lecteur inlassable de Hegel, Heidegger, Foucault, mais aussi de Husserl, Nietzsche et Platon. Au chapitre des lectures, on doit ajouter *Les Chants de Maldoror* de Lautréamont qui furent édités en Belgique en 1870 et

Le Blanc-seing, 1965
Le peintre autorise le visible à jouer en son nom le merveilleux jeu de cache-cache qui fait tout son mystère.

ne parvinrent à Paris, auprès d'Huysmans et de Léon Bloy qu'après 1885, date à laquelle Iwan Gilkin se décida à faire connaître aux Français ce poète qui faisait les délices de Max Waller, de Camille Lemonnier, de Rodenbach et de tous les symbolistes que regroupait la *Jeune Belgique*. Les illustrations par Magritte des *Chants de Maldoror* figurent sans conteste parmi les plus grandes réussites de ce genre où excellaient les formidables découvreurs que furent les surréalistes. Magritte qui, avec *Le Jockey perdu* (repr. p. 18), en 1926, se sentit surréaliste, ne pouvait être que tenté par l'aventure parisienne, il allait ainsi grossir le rang des peintres étrangers qui firent la gloire de ce mouvement pourtant si parisien. Cette expérience eut lieu de 1927 à 1930. C'est de cette époque que date la profonde amitié de Magritte pour Max Ernst, Dalí et surtout Paul Eluard. Belge, provincial, sérieux, profond, socialement fragile, mais mentalement solide, très vulnérable, mais au fond invincible, Magritte avait choisi de vivre dans la banlieue de Paris. Ses origines modestes et la peur de manquer s'accommodaient mal des onéreuses trépidations de la vie parisienne. A la première interruption du contrat, le couple rentra donc à

Le Bouquet tout fait, 1956
La fleur dite par les mots de la poésie est selon Mallarmé, «l'absente de tout bouquet». Elle n'est ni dans l'image de Botticelli, située derrière le dos du spectateur, dans l'inconscient de la pensée, ni quelque part dans la forêt... Elle est plutôt entre les deux, dans la magie de l'art capable de surmonter l'absence de relation entre la réalité des choses et celle des images ou des mots.

Bruxelles en 1930 où il se fit quelques nouveaux amis, parmi lesquels Harry Torczyner, avocat anversois qui exerce aujourd'hui ses talents à New York, Marcel Mariën avec qui Magritte se fâcha définitivement à la suite d'un tract qui était un billet de banque frappé à l'effigie de Magritte et que Mariën fit circuler lors de l'inauguration d'une fresque, *Le Domaine enchanté* (repr. p. 32/33), pour protester contre l'embourgeoisement de son ami à qui survenait un tardif, mais réel succès. Dans les années précédant la Seconde Guerre, Magritte s'était inscrit deux fois au Parti Communiste (en 1932 et 1936), mais le réalisme, fût-il socialiste, n'était pas son fort, et les doctrines trop sûres d'elles-mêmes eurent toujours le don de l'écœurer. Après la guerre qu'il vécut à Bruxelles, en craignant l'arbitraire des rafles ainsi que les attaques dont sa peinture «dégénérée» était l'objet, il éprouva le besoin de changer de manière et se lança dans des toiles à la manière de Renoir, œuvres plus gaies mais aussi plus parodiques. Il les délaissa pour des séries plus brutes, plus «vaches», disaient ses amis. Toiles que n'eût peut-être pas désavouées Jean Dubuffet dont on peut dire que *Les Mangeurs d'oiseaux* ne sont pas sans rapport avec la

sauvagerie d'une image comme *Le Plaisir* (repr. p. 75). Mais ni les grâces sensuelles de Renoir, ni les véhémentes maladresses d'un Jean Dubuffet n'étaient les vrais chemins de Magritte. C'est pourquoi il revint assez vite à son ancienne manière, enrichie pourtant de certains bleutés plus raffinés et d'une technique académiquement plus vibrante, plus sensuelle. Le succès vint lentement grâce au marchand Iolas et grâce à l'Amérique. André Breton, en dépit des anciennes divergences, inaugura son exposition américaine de 1964 en ces termes justement rappelés par Patrick Waldberg: «Dans toute la démarche de Magritte culmine ce qu'Apollinaire a appelé ‹le véritable bon sens›, s'entend, celui des grands poètes». Magritte, faisant mentir la légende d'exceptionnelle longévité caractérisant les peintres, mourut d'un cancer à l'âge de soixante-neuf ans.

La Page blanche, 1967
Autre hommage à Mallarmé, qui méditait l'impossibilité de l'écriture à conserver la blancheur de la page, que cette lune surgissant dans une situation impossible: *devant* les feuilles plutôt qu'au-dessus ou derrière elles.

Illustrations pour «Les Nécessités de la vie»
d'Eluard, 1945

REPRODUCTION EN HAUT:

Décalcomanie, 1966

La silhouette de gauche semble avoir été
découpée dans les plis du rideau, laissant voir
de la mer et du sable. Mais ce n'est pas vrai, la
découpe n'est pas la même. Tout cela n'est
que la peinture nous montrant que le visible,
son domaine d'élection, est un réseau serré de
dissimulations succédant à d'autres dissimulations.

REPRODUCTION EN BAS:

Portrait double de l'artiste, 1965

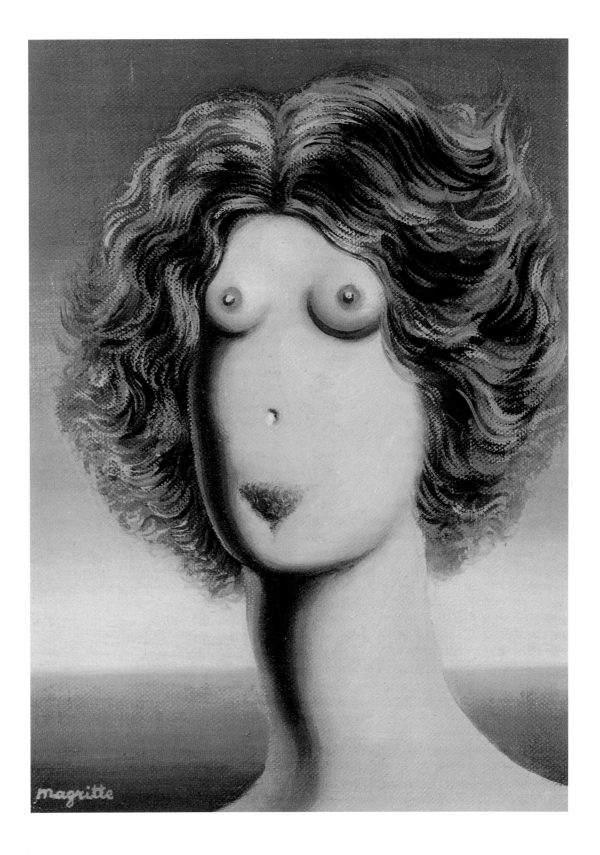

Le corps en peinture

Ainsi que *le Viol* (repr. p. 29) le manifestait avec force, la peinture a le pouvoir de capter et de modifier en images l'anatomie du corps. Les yeux sont des seins, le nez, milieu de la figure, est un nombril tandis que la bouche est un sexe . . . Cette violence que la peinture fait subir au visage de la femme n'est cependant pas gratuite, car l'anatomie de l'image peinte, pour reprendre une expression de Klee et de Bellmer, nous permet de voir plus directement et plus simplement une profonde vérité de la femme désirant être désirée, usant de ses yeux pour provoquer le désir et de sa bouche pour autre chose que parler. En d'autres mots, si viol il y a, il est celui que commet la peinture elle-même dès qu'elle ne se contente pas d'accueillir sur toile les apparences du monde visible, mais s'attache à les changer, à les triturer même, afin de les disposer suivant un ordre poético-magique qui permet au regard d'aller jusqu'au sensible, jusqu'au corps, jusqu'aux sens qui ne relèvent pas du visuel. Il ne s'agit pas de copier le réel, de magnifier les apparences du monde, mais de construire une image du corps capable d'en révéler la nature profonde, secrète, celle qui se tient ordinairement hors de vue, en retrait, à l'arrière du regard, *dans* la tête plus que sur la peau du visage ou la chair de l'œil.

A cet égard, *La Race blanche* (repr. p. 65) propose une vision et une hiérarchie des sons tout à fait surprenantes. Les deux yeux et les deux oreilles y sont ramenés à l'unicité: ils sont uniques, comme la bouche, l'organe de la parole. L'œil-unique, cyclopéen, dominateur, central, mais d'un centre situé en haut, évoquant ainsi une transcendance – se situe au-dessus de l'oreille elle-même supportée par la bouche. L'œil (organe des images), l'oreille (organe des sons) et la bouche (organe de la parole, du *logos*) sont appuyés sur deux nez qui sont aussi bien deux jambes, bref tout le reste du corps, toute la multiplicité des autres sens saisie comme un bloc, comme un socle. Du *Viol* et de *La Race blanche* se dégage l'impression d'une discordance généralisée des organes sensoriels, l'impression d'un dérèglement tutélaire des différents sens: de chacun d'eux à l'intérieur de soi (la bouche mange, boit, parle, suce, embrasse etc.; l'œil voit, lit, scrute, réfléchit, peut faire voir du désir ou du mépris, de la colère ou de la tendresse etc.) et de chacun d'eux dans sa relation avec les autres (l'œil peut devenir sein, la bouche sexe, le nez nombril etc.). Une telle mobilité des organes du corps capables de changer de fonction et de sens implique, pour être considérée, une vision du corps humain étrangère aux lois de l'anatomie et de l'identité juridique. Magritte présente le corps comme une multiplicité éclatée, fragmentaire et fragmentée, comme un puzzle aux pièces inajustables, un champ de variations, un lieu où se croisent

La Connaissance naturelle, non daté

Le Viol, 1934
Tous les organes sexuels envahissent le visage: le corps de la femme est voilé par la peinture qui n'exprime ici que l'animalité du désir.

51

Les Exercises de l'acrobate, 1928
«Nous ne savons pas ce que peut un corps», disait Spinoza. Le vrai mystère est davantage le corps que la pensée qui n'est souvent qu'un effet de surface. Comment suivre par la pensée ou traduire en images les contorsions de l'acrobate?

et parfois s'ignorent des intensités diverses, des sensations hétérogènes et changeantes. Ce n'est pas du tout la cohérence intime, l'unité du corps que vise Magritte, c'est plutôt la possibilité esthétique de contester et de modifier la cohésion anatomique.

A l'instar de Fantômas changeant sans cesse d'identité, Magritte restitue au corps sa capacité d'échapper à son identité socio-culturelle, il lui permet de subvertir l'image habituelle que notre civilisation s'en fait. Depuis Sophocle et Platon, l'Occident conçoit la vue comme une puissance dominant les autres sens, comme une divinité régnant sur le corps, domestiquant les autres forces du sensible. Ce privilège de la *Theoria,* de la vision, s'est perpétué à travers toute l'histoire de la philosophie (à de très rares exceptions près): on le trouve en tout cas chez tous les auteurs que Magritte lisait assidûment: dans *La*

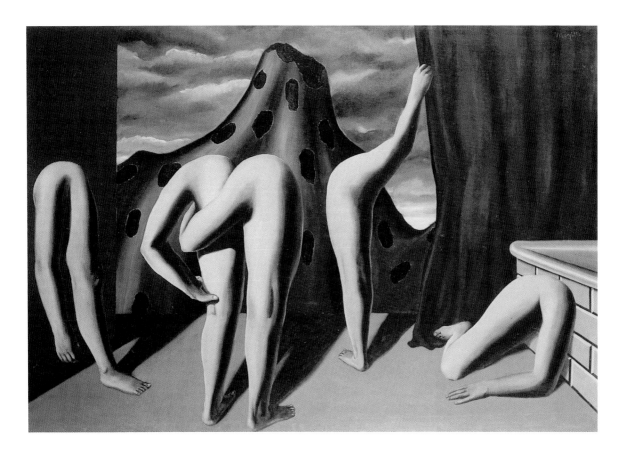

Métaphysique d'Aristote, chez Descartes avec «*Les idées claires et distinctes*», chez Kant lui-même dès qu'il concevait la sensibilité à partir de *l'intuition* (regard) et enfin dans toute la phénoménologie de Husserl à Heidegger . . . Bref ce privilège exorbitant conféré à la vue n'a cessé de croître: nous vivons aujourd'hui dans une société de l'image, dans un monde de spectacles: même des arts comme ceux de l'audiovisuel, qui devraient plus que d'autres tenir la balance entre la bande sonore et la bande image (entre lesquelles ils ont charge d'établir un trait d'union) accordent au visuel une importance excessive et imbécile. Bref, la race blanche, si l'on y réfléchit, à la différence des civilisations de la jungle où prévaut le sonore, se caractérise bel et bien par la hiérarchie sélective des sons qu'en propose Magritte. Par ce tableau – et par la sculpture qui en fut réalisée en Italie dans les ateliers de Bonvincini et de Berrocal (p. 65) –, Magritte montre deux choses: le désaccord entre les sens et la possibilité d'établir entre eux une sorte de correspondance modifiable et précaire. En un mot, «la race blanche» n'est qu'une organisation hiérarchisée des sens parmi l'infinité des organisations possibles. Le sensible en effet n'est pas une unité close, c'est une multiplicité ouverte: visible, audible, tangible, gustative, olfactive etc. Dès lors, l'œuvre d'art – en tant qu'œuvre orientée vers le sensible – n'est peut-être pas aussi unitaire que la tradition tend à le faire croire. C'est ce que Berrocal, à la suite de Picasso, a si parfaitement compris dès qu'il propose au public des sculptures qui ne sont rien d'autre que

Entracte, 1927–28
Le spectacle est interrompu. Tous les fragments du corps laissés à l'arrière, tout ce qui vit dans les coulisses du visible passe tout à coup au premier plan.

REPRODUCTION PAGE 54:
Les Liaisons dangereuses, 1926
Ce tableau nous montre le mystère du corps en peinture: la femme ferme les yeux pour ne pas voir qu'elle est vue, qu'elle est divisée en deux images qui ne s'ajustent pas, et c'est en vain qu'elle attendrait du peintre et de son désir la naissance d'une quelconque unité.

REPRODUCTION PAGE 55:
L'Evidence éternelle, 1930
Toute image ne retient du corps qu'une vue fragmentaire choisie parmi une infinité de vues possibles. En voici cinq qui ne se complètent pas tout à fait et qui soulignent avec force cette situation inhérente à l'acte de peindre.

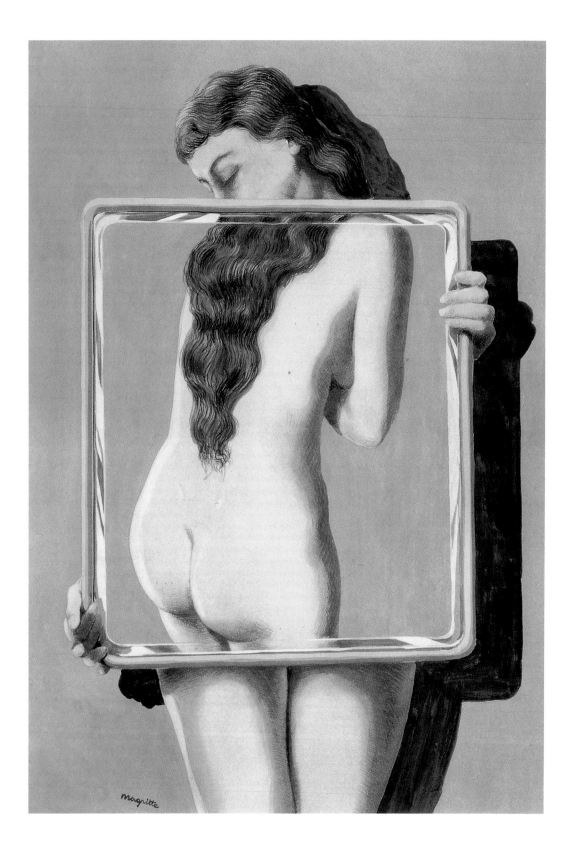

des séries modifiables à l'infini par les propriétaires eux-mêmes. (Ce que pourtant, ceux-ci s'interdisent de faire, préférant, par habitude et tradition, se maintenir à distance respectueuse du travail de l'artiste et considérer l'œuvre comme un résultat définitif, comme quelque chose qui eut lieu une fois pour toutes). La vie et les corps changent: les puissances du sensible se combinent de façons diverses et l'exercice privilégié de certaines d'entre elles condamnent les autres à une sorte de latence, de réserve, de mise au secret. Or, c'est ce secret ou ce mystère du corps qu'il semble que Magritte ait entrepris de peindre.

Son problème est d'abord de toujours montrer ce que le visible cache, (cf. *Les Amants* [repr. p. 64]. Comment mieux faire apparaître l'aveuglement de l'amour qu'en redoublant cette évidence, qu'en disposant un voile sur le visage des amoureux, ainsi laissés à leur douce cécité), mais ensuite il est d'utiliser ce jeu de cache-cache inhérent au visible pour le contraindre à révéler autre chose que ne le font les apparences ordinaires. Le piano de Georgette encerclé par une bague de fiançailles évoque le double pouvoir de la main sur la musique et sur l'amour, et *La Main heureuse* (repr. p. 63), sans être directement représentée, se trouve en effet pensée. De même, *La Chambre d'écoute* (repr. p. 63) agit-elle comme une métaphore du silence: dans la vie, on entend des choses (un robinet qui fuit, une voiture qui passe, des enfants qui jouent, une symphonie de Mozart . . .), mais pas de sons ou de bruits purs. Le seul son pur est le silence; une pomme occupe tout l'espace de la pièce, la vision est sursaturée, il ne reste qu'à faire appel au second des merveilleux pouvoirs du corps: celui de l'écoute. Le visible, répétons-le, cache, dissimule, mais on peut le prendre à son propre piège, on peut le peindre et lui faire montrer des choses absentes, et l'obliger à laisser paraître tout le mystère qu'il recouvre, qu'il contient et qu'en un sens profond, il *est*.

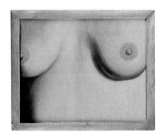

Le mystère du visible se tient dans le corps, dans les pouvoirs du corps (*Les Exercises de l'acrobate* [repr. p. 52]). La souplesse de l'acrobate, la main droite armée d'un fusil, porteuse de mort, et la gauche tenant un instrument de musique, tandis que la tête apparaît trois fois et que les organes sexuels sont au repos sous l'effet de ces impossibles contorsions athlétiques, font voir en une seule image les puissances du corps étrangères à l'œil. La peinture peut donc contraindre le visible à une sorte d'*Entracte* (repr. p. 53) où c'est le corps dans ses dimensions occultées par la représentation qui vient à surgir dans sa vérité monstrueuse, fragmentaire. Comme le corps est toujours *absent* de la représentation que l'on en donne, comme toute image est toujours partielle, l'apparence agit comme un vêtement (qui cache, enveloppe, protège, mais aussi induit le désir de découvrir et de dévoiler ce qui est caché) ou mieux encore, comme une mutilation, comme une séparation du corps d'avec ce qui en est montré. Le corps vêtu ou peint est divisé, séparé en fragments voilés et en fragments dévoilés, en chairs vêtues et en chairs nues, en nudité offerte, comme l'est à l'ordinaire la peau du visage, et en nudité occultée par tout cela qui, invisible, s'active dans les coulisses du théâtre du visible. Le mystère du corps et de ses multiples pouvoirs est aussi le mystère de la peinture, cet art du miroir infidèle et cependant non-trompeur: il peut en effet mettre en scène, fût-ce au prix d'un grand risque, ce que le visible paraît avoir pour mission première de dissimuler, de refouler, de repousser hors de son registre. Reportons-nous à cet égard aux *Liaisons dangereuses* (repr. p. 54), tableau dont

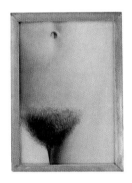

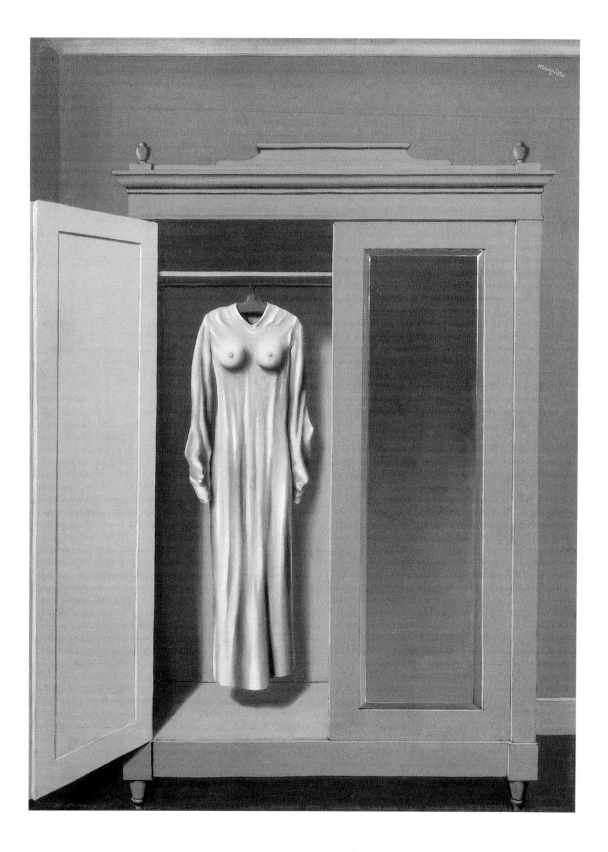

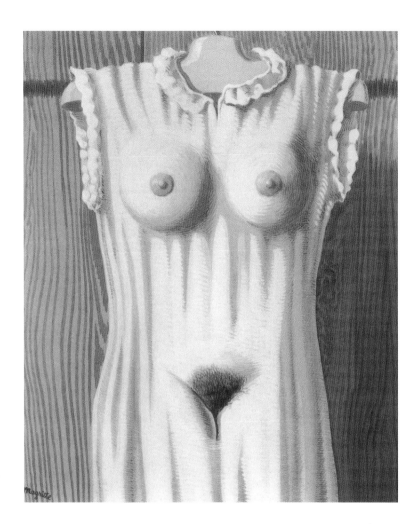

Max Loreau fit un éclairant commentaire dans *La peinture à l'œuvre et
l'énigme du corps* (Paris, 1980). Nous avons insisté là-dessus, la peinture n'agit
pas comme le miroir passif de la réalité: elle ne redouble pas l'apparence, elle
la change, elle la métamorphose. Ainsi, la peinture ne reproduit-elle pas le
corps de la femme, mais en produit au contraire une apparence nouvelle, une
image partielle, figée, encadrée, morte. Loin de représenter l'identité anatomique du corps, elle engendre une apparence nouvelle différente, et qui chez
Magritte, se trouve peinte comme si elle était consciente de cet apport, de
cette adjonction. La peinture de Magritte modifie fictivement les apparences,
mais de surcroît réfléchit-elle toujours sur le sens de cette modification. C'est
en quoi cette peinture doit être dite pensante, réfléchissante. *Les Liaisons
dangereuses* est une œuvre qui représente une femme nue tenant devant elle
un miroir tourné vers le spectateur. Le miroir cache une partie de son corps,
des épaules aux cuisses, mais réfléchit approximativement, en plus petit, et
sous un autre angle, le fragment de corps qu'il masque. Magritte a donc peint
deux vues différentes du corps féminin: l'une d'apparence directe, l'autre
imaginaire, celle du reflet d'un miroir. Il propose donc au spectateur deux

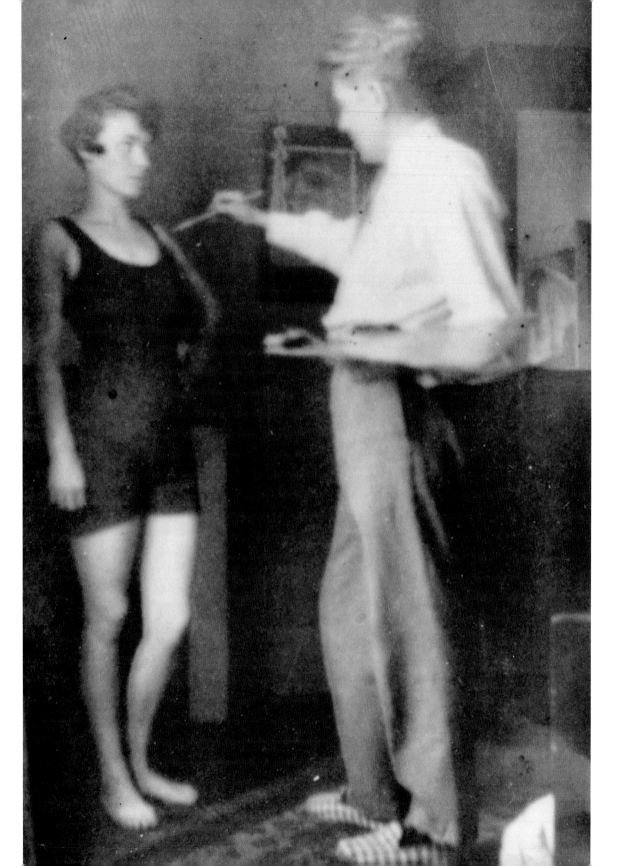

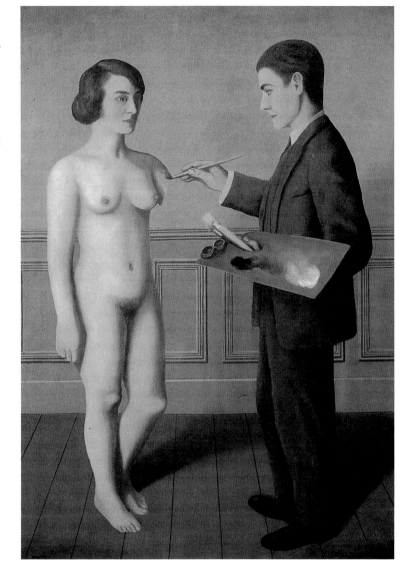

La Tentative de l'impossible, 1928
Le désir de Magritte pour sa femme Georgette se confond avec le désir de Magritte
occupé à peindre. La vie et l'art s'unissent
dans un même éloge de l'amour.

Georgette et René Magritte au Perreux-sur-
Marne, 1928

faces désaccordées et par là, il oblige à réfléchir sur la discordance elle-même,
sur cette énigme caractérisant toute peinture. Au lieu de peindre le corps de la
femme comme une masse unitaire, Magritte le peint comme brisé, comme
fracturé. En peinture, le corps perd et efface son intégrité, il abandonne sa
cohésion intime au profit d'une apparence fragentaire, déréglée. Ce que
Magritte montre ici, c'est qu'en peinture, les *liaisons* sont toujours *dangereuses* car le peintre ajoute toujours son regard de peintre, son regard désirant, au corps du modèle. Dès lors, le corps de la femme est peint comme une
tension entre deux apparences inajustables. Cette tension, d'où vient-elle? Et
bien, redisons-le, elle ne peut venir que du regard et du travail du peintre
introduisant très manifestement les pulsions de son propre corps *dans* le spectacle. La peinture de Magritte n'est jamais passive; au contraire, elle agit

toujours de façon perturbante, de manière subversive. Entre les deux fragments du corps désaccordés par leur taille et la position des mains (il est en
effet impossible que la main droite soutenant le cadre soit celle du bras replié
sous le sein), se trouve l'espace réservé au biseau de la glace et au cadre du
miroir. Le décalage entre les deux vues du corps est donc montré comme étant
causé par un décalage supplémentaire: celui de la peinture elle-même.
Magritte nous montre que la peinture est un écart situé entre la réalité visible
et la représentation imaginaire. D'où peut venir cet écart, si ce n'est du corps
du peintre? La diablerie de Magritte, qui reprend ici un problème très classique en peinture (on le trouve chez Alberti, Vinci, Vélasquez, Picasso et tant
d'autres), est qu'il apporte à la question de l'infidélité du miroir ou, si l'on
préfère, à la question de la représentation *de* la représentation, une réponse à
la fois toute simple et très bouleversante, à savoir que le visible est inséparable
du corps, du sensible compris comme activité désirante, voyeuse plus que
voyante, démultipliante plus qu'unifiante. Le mystère à l'origine de toute
vision et de toute peinture est le mystère même du corps, de la sensibilité
écartelée non seulement entre ses divers sens, mais encore en chacun d'eux,
ainsi que l'atteste déjà l'écart ou la différence régnant entre toute image et ce

Le Sorcier, 1952
Cet autoportrait multiplie les mains, une
main sauvage porte directement le pain à la
bouche, les autres plus civilisées usent de la
fourchette et du couteau, mais la main droite
du vrai sorcier, c'est celle du peintre, celle qui
n'entre pas dans la toile, sauf par ce qu'elle
crée.

La Main heureuse, 1953
Georgette aimait jouer du piano. Cette bague entourant son instrument de prédilection rappelle la chance et le mystère d'un amour partagé.

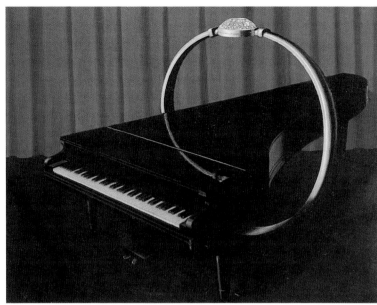

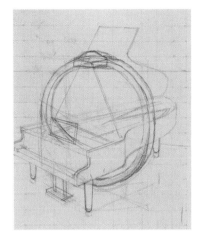

La Main heureuse, 1952

La Chambre d'écoute, 1958
C'est avant tout un lieu de silence susceptible d'être occupé par le sonore. Peu importe ce que l'on pourrait y voir.

dont elle est l'image. Le corps en peinture, c'est donc encore *Le Modèle rouge* (repr. p. 59), là où la nudité des doigts de pied transparaît sous le cuir des souliers ouvrant toujours sur un monde différent (les souliers du paysan, de l'alpiniste, du voyageur de commerce ou de la danseuse ne sont pas du tout les mêmes, mais ce qu'il y a de commun à tous les souliers et aux différents modes de vie qu'ils impliquent, c'est le fait qu'ils chaussent des pieds et qu'ils ont un rapport avec la terre ou le sol sur lequel le corps prend appui pour réaliser la

Les Amants, 1928
Comment mieux rappeler que l'amour est
aveugle, que les amants ne savent rien de
l'amour qu'ils éprouvent et qui pourtant les
lie l'un à l'autre?

station debout et les multiples comportements que celle-ci permet). N'est-ce
donc pas, une fois de plus, le corps en tant qu'il est capable de verticalité qui
conduit à privilégier le visible au détriment des autres sens et de ce fait à
requérir l'art de peindre pour renouer, du sein même du visible, avec la
multiplicité négligée et perdue des autres sens?

L'érotisme de la peinture, n'est-ce pas aller jusqu'au corps tout en restant
prisonnier de la distance où joue la lumière, condition sine qua non du fonc-
tionnement de l'œil? L'érotisme de la peinture est lié à la possibilité de démul-
tiplier les puissances du corps comme dans *Le Sorcier* (repr. p. 62), ou de les
sélectionner, suivant son bon plaisir, comme il arrive dans *L'Evidence éternelle* (repr. p. 55). Cet érotisme peut agir avec humour comme dans *l'Hommage à Mack Sennett* (repr. p. 56) qui, rappelons-le, fut metteur en scène de
Charlie Chaplin et de Buster Keaton, en laissant découvrir dans une armoire
une chemise ayant conservé les seins qu'elle avait tâche de dissimuler, mais il
peut aussi, sur le même mode, agir avec une violence décuplée en mettant
concrètement l'accent sur les poils du pubis et la rondeur des seins, comme
dans *La Philosophie dans le boudoir* (repr. p. 57), toile dont le titre rend
hommage à Sade qui, plus que d'autres, paya cher la libre imagination de son
écriture et la simple existence des fantasmes inhérents à son art.

La Race blanche, 1937

La Race blanche, 1937 (bronze) 1967
C'est sans doute la race qui, en effet, privilé-
gie les sensations théoriques: les images, les
sons et les mots. L'œil unique est en haut,
nous sommes dans une société du spectacle.

Le plus bel hommage à sa femme, qui était aussi son modèle, se trouve, à
n'en pas douter, dans *La Tentative de l'impossible* (repr. p. 61) et la photo qui
lui fait pendant (p. 60). On dirait que le désir du peintre est d'éterniser, de
fixer, de recréer pour lui-même, l'objet de son désir, mais c'est une tentation
impossible, irréelle, vouée à l'échec. Et ce constat désenchanté, cette mélancolie primitive, tutélaire même, traverse d'un bout à l'autre les problèmes de
la peinture de Magritte dans ses rapports avec le corps et le désir.

Les images et les mots

Ainsi que nous venons de le souligner très longuement, l'image peinte, en tant qu'elle implique le corps du peintre sous la figure de son regard et de sa technique, de son œil et de sa main, n'est pas du tout une image ordinaire. Ce n'est jamais une photo d'identité: elle n'essaie pas de renvoyer à une réalité externe dont elle serait la copie, mais d'enrichir et de modifier l'image de façon à faire apparaître, non le réel, mais son insondable mystère. L'image peinte est toujours chez Magritte une image réfléchie, une image pensée. En d'autres mots, elle est toujours une image que le peintre oblige à réfléchir sur son statut d'image. L'image peinte n'est jamais une simple apparence, c'est-à-dire une apparence qui tromperait l'œil en se faisant passer pour la réalité qu'elle représente. On ne fume pas une pipe peinte. Ce n'est donc jamais une pipe, jamais une pomme, une femme, une forêt ou un marteau. C'est tout le sens déjà largement évoqué de *La Trahison des images* (repr. p. 9), ou, si l'on préfère, de l'écart intérieur au visible, de la différence où vient se loger l'art de peindre. Il y a comme une impuissance ou comme une limitation de la peinture qui est par structure, par essence peut-on dire, séparée du réel, de son modèle. Mais cette séparation est l'indice d'un pouvoir surréel, magique, différent: il est la capacité de trahir le réel lui-même, de montrer une pierre qui flotte ou une pomme envahissant tout l'espace d'une chambre (*La Chambre d'écoute* [repr. p. 63]); il est la faculté de faire voir l'écart qui sépare l'image *de* ce dont elle est l'image. La peinture, nous l'avons dit et redit, travaille sur le visible, opère au sein du visible, mais jamais au-delà. Or, l'œil, nous l'avons indiqué en soulignant l'importance qu'eurent pour Magritte ses lectures de Stevenson, de Poe, de Mallarmé, de Hegel et de tant d'autres, ne fait pas que *voir*, il peut également *lire*. En d'autres termes, les mots aussi sont de nature visible. Cet aspect des choses ne pouvait échapper à la sagacité poétique de Magritte. Il n'y a pas de rapport entre «l'idée» de cheval et l'animal que nous connaissons tous ou, plus précisément, ce rapport ou cette idée n'a rien de chevalin. Les mots, à l'instar des images, jouent de l'écart entre leur nature langagière et les choses auxquelles il leur arrive de renvoyer. Le mot écrit, par exemple «la Seine» nous transporte à Paris, *en pensée,* mais à supposer que nous habitions Cologne ou Bruxelles, ce «transport» n'est pas réel: il est abstrait. Là aussi, on peut donc parler d'une certaine impuissance des mots à l'égard des choses, mais c'est seulement à la condition de leur découvrir du même coup une surpuissance inouïe, une capacité d'infidélité tout à fait stupéfiante. Les mots sont capables de déclarations mensongères «je suis dans la lune» comme de déclarations plus ordinaires «je suis assis à ma

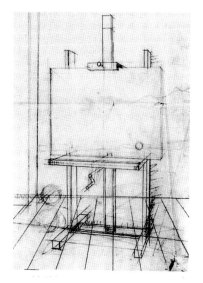

La Condition humaine, 1935

Magritte dans son atelier-salon, 1965

La Condition humaine, 1935
«Mêler perfidement (et par une ruse qui semble indiquer le contraire de ce qu'elle veut dire) un tableau et ce qu'il doit représenter.»
Michel Foucault

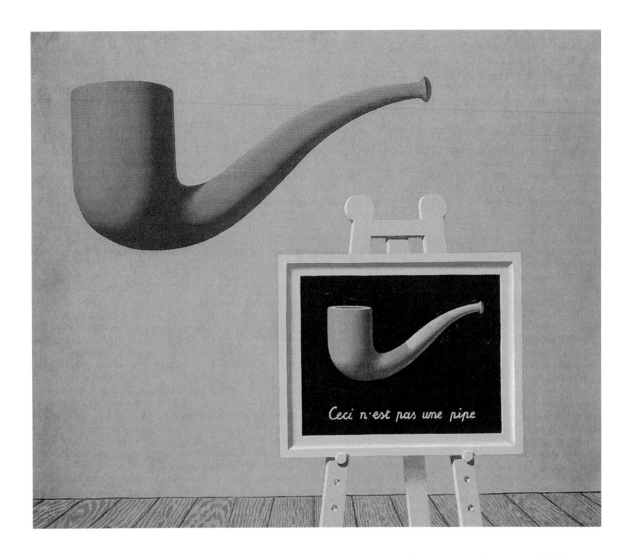

Les Deux Mystères, 1966
Les images et les mots sont, à leur manière
spécifique, coupés du réel. Le simulacre de
pipe qui flotte dans cette représentation de
représentation, dans ce tableau où est peint
un tableau, vient redoubler cette évidence et
du même coup secouer le confort des habitudes, là où d'ordinaire tout se déroule
comme sans y penser.

table de travail». C'est ce pouvoir poétique propre au langage qui, évidem-
ment, a retenu et captivé le regard de Magritte. Peints, c'est-à-dire introduits
dans la toile, non comme des titres, mais comme des fragments de la peinture
elle-même, ils peuvent libérer leurs pouvoirs de différenciation à la manière
dont le miroir des *Liaisons dangereuses* (repr. p. 54) permettait de faire voir,
et le corps, et la fragmentation impliquée par sa représentation picturale.
C'est cela *Les Deux Mystères* (repr. p. 68), ou encore *La Clé des songes* (repr.
p. 71). Entre les mots et les choses règne un écart variable et mystérieux qui
est analogue à l'écart tout aussi variable et tout aussi mystérieux qui sépare les
images et les choses. Chaque fois que Magritte peint des mots ou des phrases,
il combine la capacité de différenciation propre au lisible à la capacité de
différenciation propre au visible et, montrant ces deux écarts, il joue sur
l'écart des écarts en supprimant, à la manière de Borgès, le socle qui les ferait
s'identifier ou se correspondre. Il fait surgir une différence *entre* des différences (celle des mots et celle des images) au lieu de nous faire prendre des
vessies pour des lanternes, c'est-à-dire la surréalité des images et des mots

pour les identités du réel. Sous l'action corrosive du génie de Magritte, les identités sont ébranlées, contestées et moquées. La lecture qui opère de gauche à droite et la vision qui se fixe au milieu sont des manifestations bien distinctes. Voir et lire sont des actions très différentes. Fidèle au principe que nous avons vu se déployer tout au long de son œuvre, Magritte fait voir la différence du visible et du lisible bien plus qu'il ne prétendrait la supprimer. Tant de bon sens déroute les esprits réalistes et chagrins tandis qu'il enchante les esprits épris de poésie ou de pensée. *L'Explication* (repr. p. 72) est toute simple: ce qu'il réalise avec une carotte et une bouteille, c'est l'opération qui, dans une image surréelle, permet de faire voir non l'identité synthétique des deux réalités, mais l'impossibilité d'une telle synthèse. De même, en peinture, *L'Art de la conversation* (repr. p. 76) ne peut-il être montré dans une bulle, suivant le procédé détestable des bandes dessinées, mais se trouve-t-il élidé (on ne sait pas ce que disent les hommes) tandis que des pierres superposées et enchevêtrées font apparaître des lettres dans une masse innommable et illisible où s'esquisse comme le mot «Rêve»... En d'autres termes, loin de construire grâce aux images et aux mots un appareil destiné à capter le réel, à le saisir en tenailles par la conjonction de deux ordres complémentaires, Magritte use de l'écart intérieur aux mots et de l'écart intérieur aux images pour laisser paraître du mystère, du rêve éveillé, du rêve lucide, de la différence à l'état pur, de la pensée à l'état brut. Il réduit à néant l'ordre ancien de la représentation et le spectateur s'étonne que d'aucuns puissent avoir jamais cru que l'image d'une pipe soit la réalité de celle-ci. Ceux qui ont cru cela, qui ont pensé qu'il pouvait y avoir une adéquation entre les mots, les images et les choses sont sans doute les mêmes qui aujourd'hui croient à la réalité des informations télévisuelles et, sans réfléchir, se laissent duper par les propagandes totalitaires s'avançant sous le masque de la liberté d'information. A l'Etat italien qui souhaitait utiliser *La Saveur des larmes* (repr. p. 73) pour l'une de ces satanées campagnes anti-tabac dont les bio-politiciens actuels sont si friands dans leur zèle à contrôler, gérer et réglementer le tout de la vie, Georgette Magritte répondit par la négative en soulignant qu'à l'évidence,

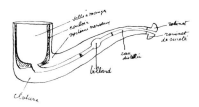

Dessin extrait du cahier «Pour illustrer Magritte», Les Lèvres Nues, avril 1970

La Lampe philosophique, 1936
Ironie contre la pensée, en vase clos, en circuit fermé.

La Pipe, 1926
Ce tableau est l'unique œuvre où Magritte ait usé d'une épaisseur colorée, d'une pâte plus réelle. Est-ce que la pipe est pour autant susceptible d'être bourrée de tabac?

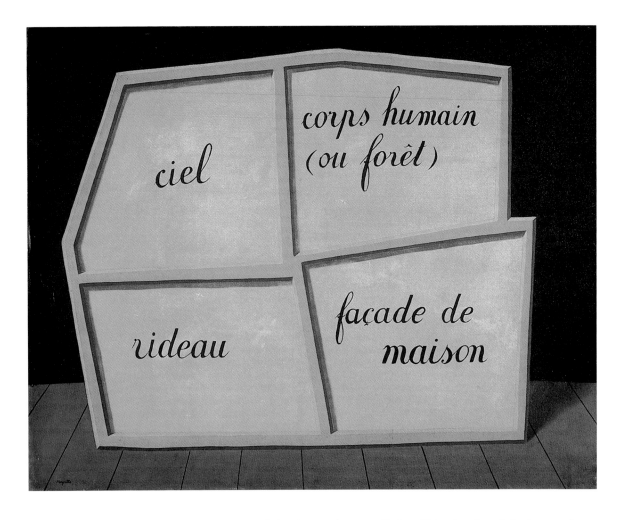

ciel

corps humain
(ou forêt)

rideau

façade de
maison

Le Masque vide, 1928
Peints dans un tableau, les mots n'ont pas le même pouvoir, ni la même fonction, que dans un texte. Mais tout à coup, la peinture fait songer à ce pouvoir et rend un magnifique hommage à leur puissance.

«son mari n'avait pas peint cette toile dans l'intention d'empêcher les gens de fumer». La capacité de séduction propre à l'œuvre de Magritte unissant si souvent le rêve, la pensée, les désirs et les aspirations du corps a été, pour les plagiaires de la publicité, une inépuisable source de «trouvailles» dont ils usèrent sans honte ni scrupules pour accélérer la vente de n'importe quel produit. Le peintre de la métaphysique et du surréel a été si souvent copié et détourné à des fins bêtement et exclusivement lucratives qu'on a parfois l'impression que la réalité moderne a pris modèle sur son œuvre. Le monde poétique de Magritte donne souvent l'idée qu'il a anticipé les stupidités du monde actuel confondant des journalistes avec des écrivains ou de vulgaires tachistes avec des peintres. *La Lampe philosophique* (repr. p. 69), qui n'éclaire *que* de l'absurde – une fumée circulant en circuit fermé, la bouche, la pipe et le nez formant cercle – et s'éclaire elle-même comme une bougie dont la cire serait molle et fondante à la base tandis que, se dressant vers la lumière, elle deviendrait plus ferme à mesure de sa proximité avec la flamme, manifeste avec éclat l'humour corrosif avec lequel Magritte traitait les évidences les plus assurées. A l'instar de Dada, de l'esprit Marx Brothers ou de celui caractérisant la vraie philosophie, Magritte n'aimait pas que les choses

Magritte peignant *Le Masque vide*, 1928

La Clé des songes, 1930
Se servant des mots comme des autres apparences visibles, Magritte les combine aux images avec une liberté très comparable à celle dont il usait avec les seules images. La conscience du réel n'est plus là pour établir l'arbitraire de son ordre. N'est-ce pas cela la plongée dans le sensible qui définit le rêve?

ou les idées se présentent comme étant hors analyse, au-dessus de la pensée, retranchées auprès d'on ne sait quel principe ou utopie. Il aimait avec une grande simplicité, presque l'air de rien, de façon anodine et quasiment anonyme, saper le fondement des choses et mettre sérieusement en question l'esprit de sérieux. Magritte savait prendre la routine à son propre piège, surcharger l'apparence au point de la rendre hyperévidente, au point d'y faire apparaître le mystère dont elle tire et ses fallacieux prestiges, et ses pouvoirs de séduction. Usant en peinture des images et des mots, il est souvent parvenu à faire hurler la banalité des choses, à rendre bouleversantes les situations les plus habituelles et les plus ordinaires auxquelles la vie nous confronte, et ce pour ainsi dire à chaque instant.

Comme tout ce qui est bon, Magritte avance d'un pas léger. Il a le don de se glisser entre les choses et leur représentation, mais aussi entre les images et les mots, entre la plastique des figures et le graphisme des lettres. Là où les esprits réalistes aimeraient tant que chaque image ait son mot et chaque mot

L'Invention collective, 1934
Une sirène, c'est un corps de femme qui finit en queue de poisson. En inversant les termes, Magritte apporte sa petite contribution à cette chimère collective.

REPRODUCTION PAGE 72:
L'Explication, 1954
Avec une bouteille et une carotte peintes, on peut faire voir un signifiant du désir. C'est si simple de ne rien pouvoir expliquer.

REPRODUCTION PAGE 73:
La Saveur des larmes, 1948
L'oiseau-feuille a le corps dévoré par la chenille qui deviendra papillon. La vie est douleur, mais cette construction, pour amère qu'elle soit, a du goût.

son image et qu'en outre les deux, en s'épaulant et en se complétant, renvoient à une même réalité, Magritte, avec une subtilité déroutante et cruelle, use de sa liberté de peintre pour laisser régner partout le *non*-rapport du visible et du lisible, du voir et du lire. De plus, il fait de ce non-rapport, de cette négation une puissance d'affirmation et de subversion poétiques capables d'ébranler l'imaginaire lui-même. Ainsi, la sirène est-elle pour le commun des hommes femme par la moitié supérieure de son corps et poisson par la moitié inférieure. Inverser les termes de ce cliché, peindre un poisson-femme au lieu d'une femme-poisson semble n'engager à rien puisqu'à l'évidence, nous évoluons dans le domaine de l'irréel, dans les territoires de l'imaginaire . . . et pourtant, *L'Invention collective* (repr. p. 74), en contradiction flagrante avec ce que l'on appelle l'imagination collective, nous confronte à une irréalité autrement frappante et autrement inquiétante que l'irréalité ordinaire ou que la plate fantaisie. Magritte n'est pas un imaginatif, n'est pas un chantre du fantastique, il est un inventeur, un méditatif. Il n'essaie pas de nous entraîner dans un extra-monde, mais s'attache à éclairer l'incohérence de nos habitudes mentales, qu'elles fûssent imaginaires et inconscientes comme dans l'exemple de la sirène, ou qu'elles fûssent plus conscientes et plus symboliques comme dans *La Clé des songes* (repr. p. 71). En dissociant très

clairement les images et les mots, ce tableau confronte l'esprit du spectateur au complet arbitraire des signes et des codes. Il y a quelque chose d'angoissant dans cette rigueur: *Le Plaisir* (repr. p. 75) de peindre est selon Magritte inséparable d'une capacité conceptuelle hautement dangereuse, inséparable d'une inquiétante cruauté mentale. Peindre, n'est-ce pas toujours préférer au vécu des relations humaines un univers artificiel et abstrait où s'invente et se déploie une vie anorganique, dotée de pouvoirs inédits et singuliers: ceux d'un corps d'oiseau-feuille rongé par une chenille, ainsi *La Saveur des larmes* (repr. p. 73), ceux d'une jeune fille déchirant à pleines dents le ventre d'un oiseau encore vif tandis qu'autour d'elle, d'autres oiseaux ou d'autres prétendants semblent attendre le même sort, sinon avec impatience, à tout le moins avec une sorte d'impavide et stupide curiosité? Le très cruel art de peindre diffère de celui de la conversation en ceci qu'il est capable de déborder le pouvoir de la parole, capable de montrer toute la terrible force des choses, capable d'écrire à l'aide de rochers énormes la légèreté du rêve (*L'Art de la conversation* – repr. p. 76) ou de résumer l'histoire des siècles en deux assises: deux chaises, l'une gigantesque, immémoriale; l'autre moderniste et minuscule . . . (*La Légende des siècles* – repr. p. 77). Loin d'organiser jamais une hiérarchie entre des modèles et des copies susceptibles de leur ressembler, Magritte joue

Le Plaisir, 1927
Avoir du Plaisir, c'est être en état de déplaisir de ne pas avoir plus de plaisir. C'est un état brutal, sauvage, irréfléchi, celui de la vie ne se nourrissant que de la vie. Magritte fait montre ici d'une cruauté poétique dans une acception fort proche d'Artaud.

L'Art de la conversation, 1950

... «Dans un paysage de commencement du monde ou de gigantomachie, deux personnages minuscules sont en train de parler: discours inaudible, murmure qui est aussitôt repris dans le silence des pierres, dans le silence de ce mur qui surplombe de ses blocs énormes les deux bavards muets» ...
Michel Foucault in *Ceci n'est pas une pipe,* Paris, 1983.

le jeu des différences non seulement entre les séries de l'écriture et de l'image, mais surtout au sein du visible dès qu'il ouvre ce registre à la proliférante infinité de tous les artifices et de tous les simulacres. Il suffit en effet qu'il y ait deux chaises pour qu'il y ait série et une petite différence pour que le jeu indéfini des différences de différences entre en scène, s'empare du tout de l'espace pictural pour le réduire à ce qu'il est: une réalité abstraite, «une chose mentale» – ironisait Duchamp – de la pensée visible, exclusivement visible, comme dirait Magritte. Ces artistes s'accordent sur ceci que l'œuvre peinte n'est pas séparable de la pensée, qu'il y a non seulement un savoir logé dans le geste des peintres, mais encore que ce savoir dépasse le plan technique de l'œuvre pour s'avérer actif au sein du plan proprement esthétique. Le savoir du peintre n'est pas seulement un savoir-faire; il est aussi un savoir-penser, c'est-à-dire qu'il donne à penser et à réfléchir. Pour Magritte, comme d'ailleurs pour Vincy et Duchamp, tout tableau a un *sens*, autrement dit ne se réduit pas aux matières agencées dans l'œuvre: les causes matérielles produisent un effet incorporel qui n'est pas réductible aux techniques employées et qui, cependant, n'est pas séparable d'elles, n'existe pas sans elles ou hors d'elles. Le sens de l'œuvre, son effet esthétique, agit comme une quasi-cause,

La Légende des siècles, 1948
Hommage à la démesure du génial Hugo écrivant son ouvrage destiné à concurrencer la Bible, à fonder l'histoire, du Paradis perdu jusqu'au vingtième siècle et au-delà . . .

autrement dit fait de l'effet dans l'esprit et dans le corps des spectateurs. Pour éprouver cet effet, ceux-ci sont à leur tour obligés de faire la différence entre le plan technique qui est dans l'œuvre le support de l'œuvre et le plan esthétique qui, sans se confondre avec le premier, n'en est pourtant pas séparable. La pensée, qui est affaire de mots et de concepts, a beau être de nature invisible, il n'en reste pas moins qu'en peinture, cette invisibilité – ce sens – s'effondrerait en même temps que le visible, si celui-ci venait à disparaître. L'art de peindre articule du visible à de l'invisible, des images à de la pensée. Cette articulation a été souvent réfléchie *in abstracto*, c'est-à-dire en dehors du registre pictural proprement dit, mais sans conteste le génie de Magritte tient à ceci qu'il la réfléchit *in concreto*, c'est-à-dire la met en œuvre au sein même de ses toiles. Penser en peinture la différence du visible et de la pensée oblige le peintre à rendre la pensée visible, à lui conférer un statut perceptible par l'œil. C'est pourquoi Magritte a introduit des mots dans ses toiles, a conjugué sur une même surface du visible et du lisible.

La pensée visible

Entre d'une part le visible et ses apparences et, d'autre part, l'invisible et ses pensées, il y avait place pour un contrat poético-pictural, pour une alliance réfléchie entre les images et leur sens, et c'est un pacte de ce genre, fait d'incertitudes et de merveilles, que Magritte a su nouer en ses toiles. Pacte diabolique puisque les parties qui le composent et le signent sont de nature si incompatible, si hétérogène que leur rencontre ou leur choc ne saurait pas même engendrer une contradiction: pour qu'il y ait «cercle-carré», il faut en effet deux figures géométriques; or, il n' y a pas du tout de relation ou de rapport entre ce que l'on dit et ce que l'on voit, entre la logique du discours et les figures de la visibilité. Ainsi a-t-on beau savoir que le soleil n'est pas un grand disque rouge éloigné de deux cents pas, il reste que certains soirs d'été, on ne saurait empêcher les choses de paraître ainsi. On a beau savoir que le bâton plongé dans l'eau est resté droit, on ne saurait empêcher la réflexion du liquide de nous le faire apparaître comme étant brisé. Il y a dans l'apparence la plus naturelle des choses un élément mystérieusement indéracinable, une résistance aux concepts et c'est très précisément cette dimension excéden-taire, cette irréductibilité du visible au logos qui constitue la première demeure de Magritte, qui forme le point d'ancrage dont il ne s'est jamais départi. On peut même affirmer qu'il s'est basé sur cette hétérogénéité de la réflexion et de la réflection, du spéculatif et du spéculaire pour mettre en branle sur la surface métaphysique de la toile, l'exclusion réciproque du voir et du penser. Les œuvres de Magritte font voir ce qu'il y a d'*irréfléchi* dans le visuel; elles donnent à l'hiatus qui sépare l'imaginaire du symbolique ou le corps des concepts une portée à la fois subversive et perverse. Les grelots que l'on trouvait autour des chevaux dans le Charleroi de la première moitié du siècle, une fois suspendus dans les airs et démesurément figurés, s'enrobent d'une magie et d'une poésie émouvantes. Soustraits aux relations interobjec-tives du monde ordinaire, les objets de la peinture sont chargés d'un pouvoir artificiel, d'une force non-naturelle, dotés en un mot d'une déviance sur-physique, de cette dérive qui caractérise la pensée elle-même s'il est vrai que la pensée n'est rien qu'une confrontation active et intense avec l'impensable [cf. *La Voix des vents* (repr. p. 87)]. Magie, mot persan de même racine que l'allemand *mögen,* désigne la possibilité d'entrer dans toutes les formes, dans toutes les identités sans demeurer en aucune. Est-ce le corps de la colombe qui devient nuages, est-ce qu'au contraire ce sont les merveilleux nuages qui deviennent un oiseau? L'association des puissances célestes, nuages et oiseaux, désigne d'un seul coup, en un seul plan, *La Grande Famille* (repr.

Etude pour *Le Principe du plaisir (portrait d'Edward James),* 1936

Le Principe du plaisir, 1937
Travaillant au portrait d'Edward James d'après une photo de Man Ray, Magritte a substitué au visage du modèle l'éclair d'un flash, se gaussant une fois de plus le principe d'irréalité caractérisant toute image.

La Découverte du feu, 1934–35
Le mystère de la découverte du feu est plus grand que celui de flammes se nourrissant d'un métal comme s'il s'agissait de bois.

p. 86), des puissances poétiques et *La Découverte du feu* (repr. p. 80), ne se trouve-t-elle pas captée à la naissance même de son mystère dès que les flammes qui sont là peintes vivent d'une vie impossible? De même *Le Balcon de Manet* (p. 82), qui substitue à l'homme en noir et aux jeunes femmes blanches les signes de leur disparition, de leur mort picturale, à savoir des cercueils dont le dessin épouse la position corporelle (assise ou debout) que leur avait conféré Manet, est une toile insistant sur la nature mortifère, anorganique de la peinture en même temps que sur cette liberté et cette vie très particulière qui sont celles de l'art. En peinture, la chair et le sexe n'y sont pas, mais ce monde désexualisé se trouve cependant investi d'une énergie sensuelle et sensible de nature différente. On passe du monde des souffrances et des plaisirs à celui des créations et des inventions esthétiques. *Le Séducteur* (repr. p. 89) n'est pas un navire, c'est la mer qui se fait navire, ce sont les vagues qui se plient à la fantaisie du peintre, capable en l'occurrence de toutes les thérapies (cf. *Le Thérapeute)*, et de même *Golconde* (repr. p. 84) ou *Le Mois des vendanges* (p. 85) sont-elles des toiles qui jouent à multiplier des figures similaires afin de montrer que l'identité sociale des êtres ne renvoie à rien d'assuré. Fantômas pourrait être en chacun d'eux, en quelques-uns, en un seul ou en aucun. La poésie peut être partout et nulle part, mais encore faut-il avoir été mis en situation de la percevoir, c'est-à-dire avoir été dérangé et déstabilisé par une expérience, par exemple visuelle, du sans-fond ou si l'on préfère de l'infondement tapi au cœur des choses et des principes les plus évidents. L'art de Magritte est une revanche de la poésie à l'encontre des aveugles puissances de la technique, une revanche de la pensée *philo*-sophique, c'est-à-dire désirante et incertaine à l'encontre des savoirs constitués et des dogmatismes en tous genres. Les Führers, les conducteurs de peuples, les prophètes de l'avenir radieux ne sont que de dangereux *Cicerones* (repr. p. 81), que des bouches crachant non point des pensées et des mots, mais du

fer et du feu. *Le Cicerone* de Magritte donne des célèbres mannequins de la
métaphysique chère à de Chirico une version plus subversive et plus politique.
Le mystère du monde a beau s'avérer invincible, il reste qu'il semble très
vulnérable entre les mains avides des bâtisseurs d'empires. La vie, à savoir le
plus mystérieux de tous les mystères, est mutilée et menacée par les pouvoirs
scientifiques et politiques s'imaginant avoir la mission et la puissance de la
contrôler et de la gérer, autrement dit de la mesurer et de la manipuler. *Le
Principe du Plaisir* (repr. p. 78), portrait du collectionneur anglais Edward
James réalisé d'après une très belle photo de Man Ray, substitue à la nudité
du visage, à l'évidence de l'âme, une simple explosion de lumière, une sorte
de violent flash électrique. Aux effets de *re*présentation, de *re*production et de
*ré*pétition propres à la technique, Magritte substitue la simple vérité de son
art. Il fait voir que l'instantané photographique n'est pas une perception du
réel, mais une opération et une manipulation machiniques qui transforment
des lumières et des ombres en une illusion mensongère. Ce n'est pas avec la
tête d'Edward James (qui fut aussi le modèle de *La Reproduction interdite* –

Le Cicerone, 1947
Le guide verbeux et dominateur ne pense
rien. La technique et la politique s'unissent
dans une même et absurde barbarie.

Edouard Manet
Le Balcon, 1868/69

Le Balcon de Manet, 1950
Les personnages de la peinture traditionnelle ont été remplacés par des cercueils. Le non-lieu de la peinture surgit: à la place des vivants il n'y a plus rien, ni personne.

repr. p. 15), que Magritte dialogue, c'est avec l'art de la photographie, art où lui-même excellait (cf. sur ce point nos ouvrages *Magritte et l'éclipse de l'être*, Editions de la Différence, Paris et *Les Photographies de Magritte*, Editions Contrejour, Paris et Electra, Milan). Ce qu'il fait voir, c'est le mystère de la production photographique dont il nous donne ici une interprétation ironique en ceci qu'il *inverse* la position des mains et la place de la pierre en même temps qu'il les *modifie* légèrement. Dans le tableau de Magritte, le bras droit s'écarte plus que ne le fait le gauche dans la photo de Man Ray et le poignet gauche devient partiellement visible. Deux petites différences jointes à l'éclipse du visage, à l'acéphalité infligée au modèle dans un portrait qui n'est pas, conformément à l'étymologie du latin *«pro-trahere»*, «tiré devant«, mais plutôt poussé derrière, expulsé de la toile par la toile elle-même, par la lumière du visible qui toujours cache bien davantage qu'elle ne montre ou révèle. Ce que Magritte ne cesse de faire voir est que le visible dissimule,

Dieu, le huitième jour, 1937

Le Libérateur, 1947
Le corps absent libère des images peintes: la
clé, le verre, l'oiseau, la pipe, et la main puis-
sante tient fermement, comme un sceptre,
l'évanescente et sensuelle beauté de Schéhé-
razade . . .

tandis que l'invisible, quant à lui, ne saurait pas être caché puisqu'il n'est pas
de nature *montrable*. Tout au plus peut-on montrer qu'il n'est pas montrable,
agencer des figures visibles suivant un ordre qui permette de faire l'expérience
des limites du visible. Mais, par la seule peinture, on ne saurait transgresser
ces limites. *Le Principe du plaisir*, c'est le principe de la peinture comme
investissement sensible des réalités les plus abstraites, comme inversion et
perversion du monde ordinaire au profit du monde le plus réel, non pas celui
que forgent les impératifs et les interdits, mais le monde tel qu'il est, à savoir
mystérieux et impensable, le monde s'imposant comme un appel, comme du
désirable auquel répondent l'art et la pensée. Au journaliste Charles Flamand
qui lui demandait: «Pensez-vous souvent à la mort?» Magritte répondit:
«Non, pas plus souvent qu'à la vie.» Magritte vivait, «comme toute chose»,
disait-il, *dans* le mystère du monde. Au lieu de rechercher une manière plus
ou moins originale de peindre, au lieu d'inventer des techniques, Magritte a

Golconde, 1953
Les gouttes de pluie se ressemblent entre elles
comme les hommes se ressemblent entre eux.

préféré aller au fond des choses, user de la peinture comme d'un instrument de la pensée et du savoir philosophiques, comprenons comme d'un instrument d'une connaissance qui soit et reste inséparable du mystère, c'est-à-dire de l'inconnaissable. Magritte a vécu une existence terne et petite bourgeoise, a supporté le caractère intolérablement vulgaire de la vie moderne en se glissant, l'air de rien, entre les codes du verbe et du voir pour les reconduire calmement et sereinement dans l'absolue véhémence du mystère que les jugements et les perceptions *inter-disent*. Ayant mûrement réfléchi, il ne pouvait être, à l'instar de Marcel Duchamp, qu'un «an-artiste», qu'un peintre en complète rupture avec les sensualistes platitudes qui voudraient nous faire gober qu'il y a de l'avenir et du sexe, là où il n'y a que des couleurs et des lignes, quand ce n'est pas, écrivit-il à de Rauschenberg, «un amas de loques pendu au mur» (cf. notes du texte 206 des *Ecrits complets*). Magritte méprisait les artistes prisonniers de leur talent et de leur virtuosité; il détestait les recherches techniciennes et matérialistes, cherchait uniquement à penser en images, à penser sans idées, sans concepts, dans un registre exclusivement visuel et cependant habité par l'esprit, hanté par la métaphysique. Il n'y a pas de mots pour dire et penser le mystère de l'«être» mais il y a, depuis Magritte,

des images qui nous montrent combien les pensées nous manquent, nous font défaut, combien le Sens est l'Impossible auquel il reste cependant possible de ne jamais renoncer. Serons-nous jamais capables de penser Magritte, capables des *Travaux d'Alexandre* (repr. p. 88)? Les hommes seront-ils un jour les maîtres de leur destin? Il y a tout lieu d'en douter, mais avec les images de Magritte, par-delà le désespoir et l'espérance, on peut tout de même survivre en continuant à y penser, c'est-à-dire en endurant le mystère du sens en tant qu'il est inséparable des sens, mais ne s'y laisse pas réduire. Le sens résulte d'une multiplicité de puissances sensorielles, celles de la main, de l'œil, de la bouche (non en tant qu'elle mange, mais qu'elle parle), mais on ne saurait affirmer qu'il les domine toutes. Il est plus sage de dire qu'il se déplace en elles tout en les connectant les unes avec les autres en des connexions partielles. Quand on *voit*, on ne lit pas et on n'entend pas, mais sans le bloc des autres sens ou, à tout le moins, sans certains des autres sens inclus dans le voir, en exclusion interne, on ne verrait pas, on ne verrait rien. Aucun de nos sens ne peut fonctionner tout seul: la vision n'a de sens que si elle implique le corps, mais celui-ci, loin d'être une unité au service exclusif du voir, est plutôt une multiplicité déréglée, plutôt un champ de forces et de possibilités varia-

Le Mois des vendanges, 1959
Ils sont venus en foule, multiples, anonymes, similaires, sans signes distinctifs; ils sont venus voir qu'il n'y a rien à voir, que la maison de la peinture est vide.

REPRODUCTION PAGE 86:
La Grande Famille, 1963
«Est-ce le corps de la colombe qui devient nuages, ou au contraire, les merveilleux nuages qui deviennent un oiseau?»

REPRODUCTION PAGE 87:
La Voix des vents, 1928
Au cou des chevaux, à Charleroi comme à Bruxelles, il y avait des grelots dont la musique avait l'heur d'émouvoir le peintre. En les isolant dans le ciel, au milieu des vents, il donne un corps d'images à cette sensation sonore.

Les Travaux d'Alexandre, 1967
L'arbre fraîchement coupé a permis à sa racine d'immobiliser la hache. Une fois de plus, grâce à la poésie de l'art, l'impossible a eu lieu.

bles et qui, tour à tour, actualisent une potentialité parmi d'autres. Ce que fait la peinture de Magritte est de montrer pour l'œil et pour l'esprit le caractère hautement incertain de tout cela qui supporte le domaine du visible; il s'inscrit dans le registre du visible, c'est-à-dire met à disposition et à portée de l'œil certains des mouvements et des combinaisons qui s'agencent hors-vue, dans les profondeurs du corps. Mais cette révélation du caché et du latent ne s'effectue jamais sur un mode contradictoire de la perception visuelle. Magritte ne laisse jamais le plan technique surgir dans l'effet de surface proprement esthétique; il ne croit ni possible, ni souhaitable que les causes matérielles de l'œuvre ne viennent à perturber le sens tout à fait incorporel qu'elles produisent. Pour Magritte, le sens est un «effet» qui échappe à ses causes; c'est un effet libre en ceci qu'il se trouve investi du pouvoir d'inventer ses propres origines. Il ne s'agit pas de nier le conditionnement physique ou sociopsychologique, il s'agit de le priver de son sens au profit d'un sens artificiel, poétique, nouveau et qui fait fond sur l'incertain, sur le mystère. Le sens inhérent aux œuvres de Magritte concerne directement le «dérèglement de

Le Séducteur, 1953
Est-ce le navire qui devient vague, est-ce la mer qui se fait son propre bateau? Est-ce la peinture qui séduit le monde?

tous les sens» dont parlait la poésie de Rimbaud. En arrière du visible se tiennent les forces diverses qui supportent le visible, mais que la peinture peut faire voir. Cette possibilité n'est pas passive: c'est une action métamorphosante, c'est une action qui change et qui modifie ces forces du simple fait qu'elle les montre. Il conviendrait, aimait à dire Magritte, non que la copie ressemble au modèle, mais que le modèle ait à cœur de ressembler à sa copie, autrement dit comprenne que l'art ne recueille pas un sens qui est déjà le sien, mais au contraire lui en confère un, lui ouvre un chemin insoupçonné et tout à fait capable, malgré et à cause de son abstraction, d'offrir à son être une orientation nouvelle. La force de Magritte est de maintenir en vie l'exigence et le besoin du sens dans un monde qui a cessé d'éprouver ce désir.

René Magritte 1898–1967: vie et œuvre

1898 René Magritte naît à Lessines dans le Hainaut le 21 novembre.

1900–1909 Une caisse auprès de son berceau, la récupération d'un ballon de navigation échoué sur le toit de la maison familiale, la vision d'un artiste peignant dans le cimetière où il jouait avec une petite fille . . . trois souvenirs d'enfance que Magritte gardera toute sa vie.

1910 Sa famille s'installe à Châtelet. Suit un cours de peinture.

1912 Sa mère se suicide en se jetant dans la Sambre.

1913 Habite avec son père et ses deux frères cadets à Charleroi. Etudes à l'Athénée. Se passionne pour les films de Fantômas, lit R. L. Stevenson, Edgar Poe, Maurice Leblanc, Gaston Leroux.

1916 Quitte l'enseignement classique pour l'Académie des Beaux-Arts de Bruxelles. Sa famille le rejoint l'année suivante.

1918–1920 Expérimente la peinture dans un esprit cubiste, puis futuriste. Rencontre le poète Pierre Bourgeois qui sera inspiré par ses œuvres et dont lui-même illustrera les poèmes. Il lui présente E.L.T. Mesens. Premiers projets d'affiches et de publicités.

1922 Epouse Georgette Berger, connue à l'âge de 15 ans, puis retrouvée en 1920. Elle devient aussi son modèle. Reçoit un choc décisif à la vue du *Chant d'Amour* de de Chirico dont le poète Marcel Lecomte lui montre une reproduction. Ecrit avec le peintre Victor Servranckx un manifeste «L'art pur, défense de l'esthétique».

1924 Publie «Aphorismes» dans la revue parisienne 391. Vit de ses dessins d'affiches et de publicités.

1925 La galerie bruxelloise *Le Centaure* lui établit un contrat de trois ans. Dirige avec Mesens les revues *Œsophage*, puis *Marie* avec la participation des dadaïstes Arp, Picabia, Schwitters, Tzara et Man Ray.

1926 Période de travail intense: 60 tableaux en une année. Peint *Le Jockey perdu,* selon lui sa première œuvre surréaliste réussie. Se lie avec Goemans, Nougé, Scutenaire et Souris. Le groupe se réunit régulièrement avec Lecomte et Mesens.

1927 Première exposition personnelle à la Galerie *Le Centaure,* en avril. Précédé par Goemans, le couple vient à Paris et s'installe à Perreux-sur-Marne en octobre. Participe aux activités du groupe surréaliste et se lie surtout avec Breton et Eluard.

1928 En janvier, expose à la Galerie *L'Epoque* à Bruxelles. Participe à la première exposition du groupe surréaliste organisée par la Galerie Camille Goemans à Paris. Recherches cinématographiques avec Nougé.

1929 Vacances à Cadaquès avec Dalí, Miró, Bunuel, Eluard et Goemans. Publie «Les mots et les images» dans le n° 12 de la *Révolution surréaliste* ainsi qu'un photomontage du groupe et un collage.

L'ombre et son ombre, 1932

Les parents de René Magritte.

Adeline Magritte avec son fils René, 1899

René Magritte, 1930

De gauche à droite: Mesens, Magritte, Scutenaire, Souris, Nougé, Irène Hamoir, Marthe Nougé et Georgette Magritte, 1934

René Magritte, Marcel Duchamp, Max Ernst et Man Ray à Paris, 1960

René Magritte, vers 1960

1930 Participe à l'exposition des collages surréalistes à la Galerie Camille Goemans. Rentre à Bruxelles.

1933 Exposition de 59 de ses œuvres au Palais des Beaux-Arts à Bruxelles. Est présent à l'exposition surréaliste de la Galerie Piere à Paris.

1936 Première exposition new-yorkaise chez Julien Lévy. Prend part à l'«*International surrealist exhibition*» à Londres et à «*Fantastic Art, Dada and Surrealism*» à New York. Le poète japonais Shuzo Takiguchi publie des poèmes inspirés par ses tableaux dans l'*Echange surréaliste*.

1938 Participe à Paris à l'exposition surréaliste que supervise Marcel Duchamp à la Galerie des Beaux-Arts. Expose à Londres.

1940 Dessine et écrit pour des revues surréalistes comme *L'Invention collective,* rédige des tracts.

1941 Exposition à la Galerie Dietrich à Bruxelles.

1945 Participe à l'exposition «Tableaux, dessins, collages, objets, photos et textes» à la Galerie des Editions La Boétie à Bruxelles. Ecrit un hommage à James Ensor dans *Le Drapeau rouge.*

1945–1948 Peint une série de toiles à la manière de Renoir (période dite de la «vie heureuse» ou du «plein soleil»).

1946 Orne de 12 dessins *«Les nécessités de la vie et les conséquences des rêves»* d'Eluard.

1947 Expose à New York à la Hugo Gallery et à Bruxelles chez Lou Cosyn.

Paul Nougé

André Masson

E. L. T. Mesens

René Magritte, vers 1960

1948 Illustre de 77 dessins *Les Chants de Maldoror* de Lautréamont. Expose à la Galerie du Faubourg, à Paris, des peintures et des gouaches de l'«époque vache», ainsi baptisée par ses amis.

1952 Publie *La Carte d'après nature,* revue tout d'abord diffusée sous forme d'une carte postale avec image et texte, en collaboration avec le groupe surréaliste belge, et faisant l'objet d'un envoi postal à découvert.

1953 Réalise *Le Domaine enchanté,* ensemble de 8 toiles, pour la décoration murale du Casino de Knokke-le Zoute. Première exposition en Italie, à Rome, et chez Alexandre Iolas à New York.

1954 Première rétrospective au Palais des Beaux-Arts à Bruxelles. A cette occasion, «esquisse» son autobiographie pour le catalogue.

1956 Reçoit le Prix Guggenheim pour la Belgique.

1960 Collabore régulièrement à la revue belge *Rhétorique* qui lui consacre son n° 9.

1961–1962 Exposition itinérante aux Etats-Unis (avec Tanguy).

1965 Rétrospective au Museum of Modern Art de New York. Patrick Waldberg lui consacre une importante monographie.

1967 Expose au Musée Boymans-van Beuningen à Rotterdam et au Moderna Museet à Stockholm. Réalise huit sculptures tirées de ses tableaux (exposées l'année suivante chez A. Iolas). Elles ont été fondues et exécutées sous la généreuse surveillance de Berrocal, à Vérone. Meurt le 15 août à Bruxelles.

Légendes

2
La Mémoire, 1948
Huile sur toile, 59 x 49 cm
Patrimoine culturel de la Communauté française
de Belgique

6
L'Empire des lumières, 1954
Huile sur toile, 146 x 113,7 cm
Bruxelles, Musées Royaux des Beaux-Arts

8
La Clé de verre, 1959
Huile sur toile, 129,5 x 162 cm
Houston (TX), Courtesy The Menil Collection

9 en haut
La Trahison des images (Ceci n'est pas une pipe), 1928/29
Huile sur toile, 62,2 x 81 cm
Los Angeles, Los Angeles County Museum of Art

9 en bas
Ceci n'est pas une pomme, 1964
Huile sur panneau de bois, 142 x 100 cm
Bruxelles, collection particulière

10 en haut
La Baigneuse, 1925
Huile sur toile, 50 x 100 cm
Charleroi, Musée des Beaux-Arts

10 en bas
Le Cinéma bleu, 1925
Huile sur toile, 65 x 54 cm
Genève, collection particulière

11
Le Faux Miroir, 1935
Huile sur toile, 19 x 27 cm
Collection particulière

12
Le Retour de flamme, 1943
Huile sur toile, 65 x 50 cm
Collection particulière

13
La Grande Guerre, 1964
Huile sur toile, 81 x 60 cm
Collection particulière

14
L'Assassin menacé, 1926
Huile sur toile, 150,4 x 195,2 cm
New York, Collection, The Museum of Modern Art,
Kay Sage Tanguy Fund

15 à gauche
Portrait de Georgette au bilboquet, 1926
Huile sur toile, 55 x 45 cm
Paris, Musée National d'Art Moderne,
Centre Georges Pompidou

15 à droite
La Reproduction interdite (Portrait d'Edward James),
1937
Huile sur toile, 79 x 65,5 cm
Rotterdam, Museum Boymans-van Beuningen

16
Le Jockey perdu, 1926
Collage, 39,5 x 54 cm
New York, collection particulière

17
Le Joueur secret, 1927
Huile sur toile, 152 x 195 cm
Collection particulière

18
Le Jockey perdu, 1942
Gouache sur papier, 50 x 84 cm
Collection particulière

19
L'Empire des lumières (inachevée), 1967
Huile sur toile, 45 x 50,3 cm
Collection particulière

20
Eloge de la dialectique, 1936
Aquarelle
Collection particulière

21
Le Salon de Dieu, 1948
Huile sur toile, 72 x 64 cm
Collection particulière

22
Le Rossignol, 1962
Huile sur toile, 116 x 89 cm
Courtesy Galerie Isy Brachot, Bruxelles

23
Etude pour «Le Rossignol», 1962
Dessin, 23 x 13 cm
Collection particulière

24
La Clairvoyance (autoportrait), 1936
Huile sur toile, 54,5 x 65,5 cm
Courtesy Galerie Isy Brachot, Bruxelles

25 à gauche
Magritte peignant «La Clairvoyance». Double
autoportrait, 1936
Photo: collection particulière

25 à droite
Les Heureux Présages, 1944
Huile sur toile, 40 x 60 cm
Bruxelles, collection Berger-Hoyez

26
Les Affinités électives, 1933
Huile sur toile, 41 x 33 cm
Paris, collection Etienne Périer

27
Le Mal du pays, 1940
Huile sur toile, 100 x 80 cm
Collection particulière

28
Magie noire, 1933/34
Huile sur toile, 73 x 54,4 cm
Bruxelles, Musée Royaux des Beaux-Arts

29 en haut
Le Viol, 1948
Gouache sur papier, 18 x 15 cm
Collection particulière

29 en bas
Le Masque de l'éclair, 1967
Huile sur toile, 80 x 65 cm
Collection particulière

30 en haut
La Mémoire, 1945
Huile sur toile, 45 x 54 cm
Courtesy Galerie Isy Brachot, Bruxelles

30 en bas
Les Vacances de Hegel, 1958
Huile sur toile, 61 x 50 cm
Collection particulière

31 à gauche
Etude pour «L'Au-delà», 1938
Dessin, 27 x 18 cm
Courtesy Galerie Isy Brachot, Bruxelles

31 à droite
L'Au-delà, 1938
Huile sur toile, 73 x 51 cm
Collection particulière

32/33 en haut et au milieu
Le Domaine enchanté, 1953
Peinture murale, 4,30 x 71,30 m
Knokke-Heist/Le Zoute, Casino

32/33 en bas
La Fée ignorante, 1957
Peinture murale, 2,40 x 16,20 m
Charleroi, Palais des Beaux-Arts

36
Les Fleurs du mal, 1946
Huile sur toile, 80 x 60 cm
Courtesy Galerie Isy Brachot, Bruxelles

37
Les Complices du magicien ou l'Age des
merveilles, 1926
Huile sur toile, 139,2 x 105,7 cm
Milano, collection Gino Lizzola

38
Les Grâces naturelles, 1967
Bronze, hauteur: 107 cm
Patrimoine culturel de la Communauté française
de Belgique

39
Les Compagnons de la peur, 1942
Huile sur toile, 70,4 x 92 cm
Bruxelles, collection B. Friedländer-Salik et
V. Dwek-Salik

40
La Géante, 1929/30
Détrempe sur papier, carton et toile,
54 x 73 cm
Cologne, Museum Ludwig

41
Le Tombeau des lutteurs, 1961
Huile sur toile, 89 x 117 cm
New York, collection particulière

42
Le Domaine d'Arnheim, 1938
Huile sur toile, 73 x 100 cm
Collection particulière

43 en haut
Giorgio de Chirico
Le Chant d'amour, 1914
Huile sur toile, 73 x 59,1 cm
New York, Collection, The Museum of Modern Art,
Bequest Nelson A. Rockefeller

43 au milieu
Dessin extrait du cahier «Pour illustrer Magritte»,
Les Lèvres Nues, avril 1970

43 en bas
L'Eminence grise, 1938
Photo, 11 x 7,5 cm

44
Le Beau Monde, 1962
Huile sur toile, 100 x 81 cm
Collection particulière

45
Le Blanc-seing, 1965
Huile sur toile, 81 x 65 cm
Washington (DC), The National Gallery of Art
Collection Mr. and Mrs. Paul Mellon

46
Le Bouquet tout fait, 1956
Huile sur toile, 166,5 x 128,5 cm
Collection particulière

47
La Page blanche, 1967
Huile sur toile, 54 x 65 cm
Collection particulière

48
Illustrations pour «Les Nécessités de la vie»
d'Eluard, 1945
Dessin
Courtesy Galerie Isy Brachot, Bruxelles

49 en haut
Décalcomanie, 1966
Huile sur toile, 81 x 100 cm
Ancienne collection Perelmann

49 en bas
Duane Michals
Portrait double de l'artiste, 1965
Photo: courtesy Galerie Isy Brachert, Bruxelles

50
Le Viol, 1934
Huile sur toile, 25 x 18 cm
Courtesy Galerie Isy Brachot, Bruxelles

51
La Connaissance naturelle, non daté
Dessin sur dessous de bock, 9,5 x 9,5 cm
Courtesy Galerie Isy Brachot, Bruxelles

52
Les Exercices de l'acrobate, 1928
Huile sur toile, 116 x 80,8 cm
Munich, Staatsgalerie moderner Kunst

53
Entracte, 1927/28
Huile sur toile, 114,3 x 161 cm
Collection particulière

54
Les Liaisons dangereuses, 1926
Huile sur toile, 72 x 64 cm
Collection particulière

55
L'Evidence éternelle, 1930
Huile sur 5 toiles distinctes, 26 x 16, 22 x 28,
30 x 22, 26 x 20, 26 x 16 cm
Houston (TX), Courtesy The Menil Collection

56
En Hommage à Mack Sennett, 1937
Huile sur toile, 73 x 54 cm
La Louvière, collection de la ville de Louvière

57
La Philosophie dans le boudoir, 1966
Gouache, 74 x 65 cm
Collection particulière

58
Le Puits de vérité, 1967
Bronze, 81 x 42 x 25,5 cm
Collection particulière

59
Le Modèle rouge, 1937
Huile sur toile, 183 x 136 cm
Rotterdam, Museum Boymans-van Beuningen

60
Georgette et René Magritte au Perreux-sur-
Marne, 1928
Photographie, 11 x 7,5 cm
Courtesy Galerie Isy Brachot, Bruxelles

61
La Tentative de l'impossible, 1928
Huile sur toile, 105,6 x 81 cm
Collection particulière

62
Le Sorcier (autoportrait aux quatre bras), 1952
Huile sur toile, 34 x 45 cm
Courtesy Galerie Isy Brachot, Bruxelles

63 à gauche
La Main heureuse, 1952
Dessin, 35 x 24 cm
Bruxelles, collection particulière

63 en haut à droite
La Main heureuse, 1953
Huile sur toile, 50 x 65 cm
Collection particulière

63 en bas à droite
La Chambre d'écoute, 1958
Huile sur toile, 38 x 45,8 cm
Collection particulière

64
Les Amants, 1928
Huile sur toile, 54,2 x 73 cm
Bruxelles, collection particulière

65 à gauche
La Race blanche, 1937
Huile sur toile, 39 x 29,5 cm
Courtesy Galerie Isy Brachot, Bruxelles

65 à droite
La Race blanche, 1967
Bronze, hauteur: 58 cm
Patrimoine culturel de la Communauté française
de Belgique

66
La Condition humaine, 1935
Huile sur toile, 100 x 81 cm
Genève, collection Simon Spierer

67 en haut
La Condition humaine, 1935
Dessin, 56 x 55 cm
Courtesy Galerie Isy Brachot, Bruxelles

67 en bas
Magritte dans son atelier-salon, 1965
Photo de Georges Thiry, courtesy Yellow Now

68
Les Deux Mystères, 1966
Huile sur toile, 65 x 80 cm
Courtesy Galerie Isy Brachot, Bruxelles

69 à gauche
La pipe, 1926
Huile sur toile, 26,4 x 40 cm
Anvers, collection Sylvio Perlstein

69 en haut à droite
Dessin extrait du cahier «Pour illustrer Magritte»,
Les Lèvres Nues, avril 1970

69 au milieu
La Lampe philosophique, 1936
Huile sur toile, 50 x 60 cm
Bruxelles, collection particulière

70
Le Masque vide, 1928
Huile sur toile, 73 x 92 cm
Düsseldorf, Kunstsammlung Nordrhein-Westfalen

71
La Clé des songes, 1930
Huile sur toile, 81 x 60 cm
Paris, collection particulière

72
L'Explication, 1954
Huile sur toile, 80 x 60 cm
Collection particulière

73
La Saveur des larmes, 1948
Huile sur toile, 59,5 x 50 cm
Bruxelles, Musées Royaux des Beaux-Arts

74
L'Invention collective, 1934
Huile sur toile, 75 x 116 cm
Collection particulière

75
Le Plaisir, 1927
Huile sur toile, 73,5 x 97,5 cm
Düsseldorf, Kunstsammlung Nordrhein-
Westfalen

76
L'Art de la conversation, 1950
Huile sur toile, 65 x 81 cm
Collection particulière

77
La Légende des siècles, 1948
Gouache, 25 x 20 cm
Collection particulière

78
Le Principe du plaisir (Portrait d'Edward
James), 1937
Huile sur toile, 79 x 63,5 cm
Chichester, Edward James Foundation

79
Etude pour «Le Principe du plaisir (Portrait
d'Edward James)», 1936
Dessin à l'encre de Chine
Collection particulière

80
La Découverte du feu, 1934/35
Huile sur toile, 34,6 x 41,6 cm
Courtesy Galerie Isy Brachot, Bruxelles

81
Le Cicérone, 1947
Huile sur toile, 54 x 65 cm
Courtesy Galerie Isy Brachot, Bruxelles

82 à gauche
Perspective II: Le balcon de Manet, 1950
Huile sur toile, 81 x 60 cm
Gand, Museum van Hedendaagse Kunst

82 à droite
Edouard Manet
Le Balcon, 1868/69
Huile sur toile, 170 x 124,5 cm
Paris, Musée d'Orsay

83
Le Libérateur, 1947
Huile sur toile, 99 x 78,7 cm
Los Angeles, Los Angeles County Museum of Art,
Gift of William Copley

84
Golconde, 1953
Huile sur toile, 81 x 100 cm
Houston (TX), Courtesy The Menil Collection

85
Le Mois des vendanges, 1959
Huile sur toile, 130 x 160 cm
Collection particulière

86
La Grande Famille, 1963
Huile sur toile, 100 x 81 cm
Collection particulière

87
La Voix des vents, 1928
Huile sur toile, 73 x 54 cm
Collection particulière

88
Les Travaux d'Alexandre, 1967
Bronze, 61 x 150 x 110 cm
Courtesy Galerie Isy Brachot, Bruxelles

89
Le Séducteur, 1953
Huile sur toile, 38,2 x 46,3 cm
Collection particulière

Notes

1 Cette œuvre, avec d'ailleurs *L'Eclair,* fut léguée par Georgette Magritte au Musée des Beaux-Arts de Charleroi un peu sur notre recommandation, mais surtout à cause d'une certaine attention des autorités de cette ville à l'endroit du grand peintre qui y vécut.

2 Cité par Patrick Waldberg in *René Magritte,* André De Rache Editeur, Bruxelles, 1965, p. 211

3 Michel Foucault, *Ceci n'est pas une pipe,* Fata Morgana, Montpellier, 1973 ainsi que notre essai *Magritte ou l'éclipse de l'être,* Edition de la Différence, Paris, 1982

4 *Ecrits complets* p. 57, texte n° 19, *Réponse à l'enquête sur l'amour.*

5 *L'auteur des Demeures d'Hypnos,* ouvrage essentiel pour toute intelligence du surréalisme, signale ce fait dans son *René Magritte* déjà cité en 1965 et qui fut publié chez De Rache à Bruxelles (pp. 166–167)

6 Mallarmé, Avant-Dire au Traité du Verbe de René Ghil, Paris, 1885

L'éditeur remercie les musées, les galeries, les collectionneurs et les photographes qui nous ont apporté leur soutien pendant la réalisation de ce livre. Outre les personnes et institutions nommées dans les légendes, il convient également de citer: A. C. L., Bruxelles (34/35, 43 en bas, 60, 83 à droite, 91); Ch. Bahier, Ph. Migeat (15 à gauche); Blauel/Gnamm, Artothek (52); Courtesy Galerie Isy Brachot, Bruxelles (7, 10 en haut à gauche, 22, 23, 24, 26 à droite, 30 en haut, 31 à gauche, 36, 48, 49 en haut, 50, 51, 62, 65 à gauche, 67 en haut, 68, 80, 81, 88, 90 à gauche, 90 au milieu, 90 à droite); The Bridgeman Art Library, Londres (10 en haut à droite, 59); A. C. Cooper Colour Library, Londres (78); Editions de la Différence, Paris (93 en haut au milieu); © Hickey-Robertson, Houston, TX (8, 55); Kate Keller, © 1981 The Museum of Modern Art, New York (43 en haut); © 1992 The Museum of Modern Art, New York (14); Photothèque René Magritte – Giraudon (couverture, 9 en bas, 11, 19, 25 à gauche, 27 à gauche, 27 à droite, 28, 42, 46, 47, 49 en bas, 53, 54, 58, 72, 76, 82 à gauche, 85, 87, 89); Photothèque Succession René Magritte, Bruxelles (2, 9 en haut, 10 en bas à droite, 12, 13, 15 à droite, 16, 17, 25 à droite, 26 à gauche, 29 en haut, 30 en bas, 31 à droite, 32/33 en haut et au milieu, 38, 39, 44, 45, 56, 57, 61, 63 à gauche, 63 en haut, 63 en bas, 64, 65 à droite, 66, 73, 74, 77, 86, 93 en bas); Rheinisches Bildarchiv, Cologne (40); © Photo R. M. N. (82 à droite); Speltdoorn (32/33 en bas); Georges Thiry, Courtesy Yellow Now (67 en bas); G. Westermann, Artothek, Peissenberg (84).